À______________________

Decifrar os códigos da inteligência nos faz entender
Que não somos deuses, mas seres humanos imperfeitos.
Decifrar os códigos do "eu" como Gestor do Intelecto,
Da Resiliência, do Carisma, do Altruísmo,
Da Autocrítica, do Debate de Idéias, da Intuição Criativa,
Não é um dever, mas um direito de cada ser humano
Que busca ter uma mente brilhante e procura
A excelência emocional, social e profissional.
É um privilégio daqueles que compreendem que
Quando a sociedade nos abandona a solidão é suportável.
Quando nós mesmos nos abandonamos ela é intolerável.

________________________ __/__/__

Como pesquisador da complexa inteligência, não me curvaria diante de nenhuma autoridade política e de nenhuma celebridade, mas me curvaria diante de todos os professores e alunos do mundo. São eles que podem mudar o teatro social. São atores insubstituíveis. Dedico humildemente *O código da inteligência* a cada um deles...

Augusto Cury

O código da inteligência

Augusto Cury

O código da inteligência

A FORMAÇÃO DE MENTES BRILHANTES
E A BUSCA PELA EXCELÊNCIA
EMOCIONAL E PROFISSIONAL

Ediouro
Thomas Nelson Brasil

Rio de Janeiro – 2008

Editor responsável
Nataniel dos Santos Gomes
Supervisão Editorial
Clarisse de Athayde Costa Cintra
Capa
Douglas Lucas
Copidesque
Marcelo Barbão
Revisão
Margarida Seltmann
Joanna Barrão Ferreira
Cristina Loureiro de Sá
Projeto gráfico e diagramação
Julio Fado

CIP-BRASIL. CATALOGAÇÃO-NA-FONTE
SINDICATO NACIONAL DOS EDITORES DE LIVROS, RJ

C988c

Cury, Augusto, 1958-
O código da inteligência: a formação de mentes brilhantes e a busca pela excelência emocional e profissional/Augusto Cury. - Rio de Janeiro: Thomas Nelson Brasil/Ediouro, 2008.

ISBN 978-85-6030-398-4

1. Inteligência. 2. Inteligências múltiplas. 3. Sucesso. I. Título.

08-3968. CDD: 153.9
CDU: 159.95

Rua Nova Jerusalém, 345 – Bonsucesso
Rio de Janeiro – RJ – CEP 21402-325
Tel.: (21) 3882-8200 – Fax: (21) 3882-8212 / 3882-8313
www.thomasnelson.com.br

Sumário

Terceira Parte — Os Códigos da Inteligência

Conclusão

Prefácio

O código da inteligência é um livro que descreve de maneira instigante, inteligente e, o mais importante, simplificada o complexo processo de formação de pensadores.

Quais códigos foram decifrados por determinadas pessoas que as fizeram sair do rol das comuns e as levaram a expandir o mundo das idéias na matemática, física, filosofia, espiritualidade, política e relações sociais? Quais códigos foram decifrados por profissionais e os ajudaram a se destacar no teatro empresarial? Quais códigos foram desenvolvidos por seres humanos que os levaram a ser criativos, solidários, generosos, cativantes e saturados de prazer?

Alguns estudantes decifram determinados códigos da inteligência que os transformam em empreendedores, debatedores de idéias e construtores de conhecimento. Outros, embora tirem excelentes notas escolares, não os decifram, e tornam-se tímidos e frágeis repetidores de idéias.

Augusto Cury, psiquiatra, pesquisador de psicologia, autor de uma das teorias mais disseminadas sobre o funcionamento da mente e um dos autores de maior sucesso no Brasil, nos desvenda os códigos da inteligência sob o enfoque psicológico, filosófico, psicopedagógico e sociológico. Sua abordagem sobre os oito códigos de inteligência deixará o leitor perplexo e desafiado.

Decifrar esses códigos é fundamental para conquistarmos saúde psíquica, relações saudáveis, criatividade, eficiência profissional e prazer de viver. Infelizmente, as escolas de ensino fundamental, médio e universidades não levam seus alunos a desvendá-los e aplicá-los.

Neste livro, o autor indaga: "Em que espaço se ensina a decifrar o código do filtro dos estímulos estressantes? Onde se educa a capacidade do eu como gestor psíquico? Em que instituição se aprende o Código da Resiliência para superar adversidades. E o Código do Altruísmo e da Intuição Criativa, onde são decifrados?" E ainda afirma: "Somos uma sociedade doente que tem formado pessoas doentes".

Augusto Cury também discorre sobre as quatro armadilhas da mente humana que bloqueiam a inteligência, asfixiam a emoção e abortam a execução dos projetos de vida. Ainda aborda os hábitos dos bons profissionais e os compara com os hábitos dos profissionais excelentes que sabem decifrar os códigos da inteligência.

Ao longo do texto, são destacados vários pensamentos de Augusto Cury que foram garimpados de alguns dos seus mais de vinte livros.

Esperamos que você decifre e aplique os códigos da inteligência em todos os espaços sociais que viver. Boa leitura.

Os editores

Introdução

Treinando o intelecto para decifrar os códigos da inteligência

Tito, o general romano, encarregado de construir o Coliseu, sentia orgulho porque o exército romano era o único que se preparava para a guerra em tempos de paz, que treinava seus soldados durante todo o ano. Era o mais eficiente. Com seu exército, ele devastou Jerusalém no ano de 70 d.C., causando atrocidades inimagináveis, levando dezenas de milhares de cativos a Roma.* Em meio às lágrimas e ao sangue de seus cativos, o grande general construiu monumentos que até hoje estão de pé.

O treinamento que antes atingia os exércitos e algumas poucas áreas da sociedade, hoje permeia todos os setores. Estamos na era do treinamento. Treina-se para praticar esportes, andar, dançar, calcular,

* Assunto que será tema de um romance histórico que publicarei no futuro.

escrever, contar histórias, encenar uma peça. Treina-se para dirigir veículos, pilotar aviões, operar máquinas. Treina-se para falar em público, usar computadores, fazer programas, administrar empresas, executar projetos. Treina-se para tomar vinho, apreciar uma obra de arte, observar a qualidade dos produtos.

Entretanto, quando tudo parecia perfeito na era do treinamento, eis que ao olhar para as mazelas psíquicas e sociais das sociedades modernas constatamos que cometemos um gravíssimo erro histórico. Esquecemos de realizar o mais importante treinamento, o treinamento para decifrar e aplicar os códigos da inteligência. Sem eles não podemos desenvolver nosso imaginário, nossa capacidade de superação das intempéries e nossas potencialidades intelectuais.

Memória superutilizada e códigos da inteligência subutilizados

Deveríamos decifrar esses códigos com a mesma energia que o garimpeiro penetra nas rochas à procura do ouro, com o mesmo afinco que o cirurgião rebate a pele para desnudar tecidos ocultos, com a mesma garra que o sedento procura água para saciar sua sede nos tépidos desertos.

O senso comum acredita falsamente que sua memória é subutilizada. Uns crêem que usam 10%, outros 20% e ainda outros um pouco mais da sua memória. Mas esse pensamento popular é ingênuo, simplista e, portanto, precisa de correções. A memória é seletiva. Além disso, abre e fecha dependendo da emoção que estamos vivenciando em um determinado momento existencial.

As emoções tensas, fóbicas, apreensivas, fecham as janelas da memória; as emoções prazerosas, desafiadoras, serenas, as abrem. Apesar de as emoções serenas abrirem as janelas, a memória, ainda assim é seletiva, não abre todos seus arquivos.

Já pensou se a memória não fosse seletiva? Qualquer palavra como "carro", "avião", "amigo", "inimigo", "medo" nos levaria a acessar milhões de dados que temos arquivados relativos a ela, saturando nosso intelecto. Nosso córtex cerebral não suportaria um turbilhão de dados. Notem que quando estamos com preocupações fixas, pensando obsessivamente em um determinado assunto, ficamos desgastados, acordamos fatigados, sem energia.

A seletividade da memória objetiva protege nossa mente contra o congestionamento de pensamentos, imagens mentais e idéias. Apesar disso, se observarmos nossa mente, provavelmente a maioria de nós perceberá que utiliza excessivamente a memória, por isso pensa excessivamente e se desgasta também excessivamente, gerando a síndrome do pensamento acelerado (SPA) (Cury, 2004).

Emoções flutuantes, pensamentos antecipatórios, excesso de compromissos, fazem parte do cardápio de uma pessoa hiperpensante. Se as pessoas usassem mais racionalmente sua memória, desgastariam menos seu cérebro, acordariam mais dispostas, elogiariam mais o dia que desabrocha, criariam mais oportunidades para conquistar quem amam, para ter gestos únicos, reações inesperadas, atitudes deslumbrantes.

A memória que já é seletiva pode ser ainda mais bloqueada pelo estresse intenso, que por sua vez bloqueia o Código da Intuição Criativa, fazendo com que o *Homo bios*, o instinto, prevaleça sobre o *Homo sapiens*, a capacidade de pensar.

O estresse pode fechar as janelas da memória em concursos, entrevistas, apresentações públicas, situações novas, desafios empresariais, gerando péssimos desempenhos intelectuais em pessoas brilhantes.

Excetuando mecanismos como esses que nos fazem subutilizar a memória, o que está subutilizado em todo e qualquer ser humano são os códigos da inteligência. Ricos e miseráveis, psiquiatras e pacientes, líderes empresariais e liderados, têm, por melhor que sejam, um potencial psíquico global contraído por não decifrar plenamente os códigos da inteligência.

A complexa definição da inteligência: três camadas psíquicas

Antes de começar a comentar sobre os códigos da inteligência precisamos definir o que é inteligência. Previamente quero dizer humildemente que desenvolvi ao longo de mais de vinte anos uma das poucas teorias mundiais sobre o funcionamento da mente, a construção de pensamentos e o processo de formação de pensadores, chamada de Inteligência Multifocal ou Psicologia Multifocal.*

A Psicologia Multifocal não é uma teoria neurocientífica, mas psicológica e que entra no campo da pedagogia, sociologia, filosofia. A inteligência para essa teoria tem definição complexa e difere de outras teorias em diversos aspectos, pois penetra em áreas que outros autores não tiveram oportunidade de estudar, como os fenômenos que atuam em frações de segundos na construção das cadeias de pensamentos, imagens mentais, idéias. Mas em hipótese alguma minha teoria é melhor do que a dos brilhantes autores consagrados, como Freud, Jung, Gardner, Morin, Piaget, Vigotsky.

A Psicologia Multifocal tem sido usada por inúmeros profissionais de saúde mental e em pesquisas, em teses de mestrado e doutorado e cursos de pós-graduação. Apesar da difusão da teoria, quero deixar claro que nenhuma teoria é verdadeira em si. Ela é um corpo de postulados, hipóteses, conceitos, argumentos, dos quais se derivam os conhecimentos.

* Nome norte-americano que passará a ser adotado mundialmente.

PRIMEIRA PARTE

Inteligência Multifocal

Pelo fato de ter pesquisado não apenas o processo de construção de pensamentos, mas também a natureza dos pensamentos e os limites da interpretação, me convenci de que a verdade é um fim inatingível. Toda teoria deve ser avaliada, analisada, testada, refletida. Convido o leitor a debater as idéias e exercer sua autocrítica, que são dois dos códigos da inteligência, e tirar suas próprias conclusões.

Capítulo 1

A definição da inteligência: o *Homo sapiens*, um ser além dos limites da lógica

As três grandes áreas que definem a inteligência

Ao definir nos próximos parágrafos o que é inteligência gostaria que o leitor não acostumado a esses conceitos não se desanimasse. Será uma sintética exposição. Para a Psicologia Multifocal a definição de inteligência é abrangente e como o próprio nome da teoria diz, é multifocal, multidinâmica, multifatorial. Alguns autores também sugeriram que a inteligência é multidimensional e modificável (Feurstein, 1980). O conceito global de inteligência entra em três grandes estágios ou três grandes áreas. As duas primeiras são inconscientes e a última, consciente.

A primeira área é mais profunda, refere-se aos fenômenos inconscientes que atuam em milésimos de segundos no resgate e na organização das informações da memória e conseqüentemente na construção de pensamentos e emoções. Essa produção é registrada milhares de vezes por dia pelo fenômeno RAM (registro automático da memória), construindo a plataforma que forma o Eu, que é a expressão máxima da consciência crítica e capacidade de escolha. Tudo o que percebemos, sentimos, pensamos, experimentamos, tornam-se tijolos na construção dessa plataforma de formação do Eu.

A segunda área se refere ao corpo das complexas variáveis que influenciam em pequenas frações de segundos os fenômenos que lêem a memória e produzem os pensamentos, imagens mentais, idéias e fantasias. Entre essas variáveis destaco "como estou" (estado emocional e motivacional), "quem sou" (a história existencial arquivada nas janelas da memória), "onde estou" (ambiente social), "quem sou geneticamente" (natureza genética e a matriz metabólica cerebral) e o "como atuo como gestor da psique" (o Eu como diretor do roteiro de nossa história).

> **Quando somos abandonados pela sociedade, a solidão é superável, mas quando somos abandonados por nós mesmos, a solidão é quase insuportável.**
> **A. Cury, em *O futuro da humanidade***

Normalmente, as teorias enfatizam os aspectos psíquicos, sociais e genéticos na construção da inteligência. Alguns pensadores se fixaram na interação entre as duas grandes forças geradoras do desenvolvimento em geral, e da inteligência em particular, a natureza e a cultura. "Não é uma competição, é uma dança" (Sternberg, 1990). Sim, de fato há uma dança dinâmica de variáveis, mas que ultrapassa essas duas grandes forças geradoras.

Como vimos, além da variável genética e cultural estão, em primeiro plano, as variáveis "como atuo como gestor do psiquismo" e o "grau de abertura das janelas da memória" determinado pelos estados emocionais (alegria, tranqüilidade, humor depressivo, ansiedade). Ao estudar esses outros fatores descobrimos que a mente humana é mais complexa do que imaginamos.

Por exemplo, pensávamos no passado que somente quem teve uma infância com traumas, saturada de perdas e frustrações adoeceria, desenvolveria transtornos psíquicos e psicossomáticos. Pobre engano! Sabemos hoje que mesmo os que gozaram de uma infância feliz e sem traumas, que tiveram o privilégio de ter pais amorosos, generosos, solidários, podem ter uma vida psíquica miserável na adolescência e na vida adulta se não aprenderam a decifrar alguns códigos fundamentais ao longo do processo de formação da personalidade.

Poderão ser vítimas dos estresses financeiros, estresses existenciais, perdas, competição predatória, frustrações, preocupações excessivas; enfim, de uma série de variáveis que dilapidam seu patrimônio psíquico, em especial seu prazer de viver.

Outro exemplo: acreditamos ingenuamente que temos pleno domínio do processo de construção de pensamentos, idéias, imagens mentais. Não é verdade. Podemos dominar computadores, carros, aviões, mas não temos o domínio completo da mais incompreensível das máquinas: a mente humana. Quantos pensamentos inquietantes perturbam nossa tranqüilidade sem que os tenhamos produzido conscientemente? Quantas idéias fóbicas transitam pelo palco psíquico sem que tenhamos permitido que fossem construídas pela vontade consciente?

As mulheres são mais generosas e inteligentes que os homens. Se elas fossem generais, provavelmente não haveria guerras, pois não teriam coragem de enviar seus filhos aos campos de batalha, enquanto os homens por muito pouco os enviam.

A. Cury, em *A ditadura da beleza*

O Eu como gestor psíquico, administrador do intelecto, é apenas um dos códigos da inteligência. Se mesmo sendo um bom gestor psíquico não dominamos completamente os pensamentos e as emoções da complexa mente humana, imagine se não decifrarmos esse código, imagine se abrirmos mão dessa gestão que ocorre nessa segunda grande área da inteligência.

Nesse caso, se usarmos um veículo como uma analogia da mente humana, podemos dizer que somos amordaçados no banco de passageiro como espectadores passivos de uma viagem que não programamos. Aliás, diariamente milhões de pessoas viajam em suas mentes no território das fobias, das preocupações doentias, da ansiedade, sem ter programado essa viagem. Entraram em um filme de terror que não queriam assistir. O dramático é que o filme roda na sua mente. Não há tecla para desligar o aparelho mental.

Ao estudarmos a primeira e segunda grande área da inteligência podemos concluir que *Homo sapiens*, capaz de desenvolver equações matemáticas, fórmulas físicas e lógicos programas de computador, pode ser tão ilógico a ponto de produzir reações agressivas, desproporcionais, irracionais.

> **Os que se atolam de atividades, os que têm uma agenda saturada de compromissos e preocupações freqüentemente são ótimos para os outros, mas carrascos de si mesmos.**
>
> **A. Cury, em *O vendedor de sonhos***

Peritos em lidar com números podem perder sua lógica e reagir estupidamente à mínima contrariedade. Médicos aparentemente dosados diante de seus pacientes, podem reagir sem qualquer controle ao serem questionados por seus pares. Na realidade, o *Homo sapiens*, seja ele um psiquiatra ou paciente, matemático ou aluno, é micro ou macro de acordo com cada momento existencial. Ninguém é plenamente estável e coerente. O nível de flutuação apenas determina o grau de nossas doenças.

A terceira grande área da inteligência se refere aos resultados das duas primeiras áreas. Nessa área se encontram os comportamentos perceptíveis, capazes de serem analisados, avaliados, aferidos. Nessa área se evidencia a rapidez de raciocínio, o grau de memorização, a capacidade de assimilação de informações, o nível de maturidade nos focos de tensão, bem como os patamares de tolerância, inclusão, solidariedade, generosidade, altruísmo, segurança, timidez e empreendedorismo.

Na terceira área da inteligência, segundo o conceito da Psicologia Multifocal, é que são feitos os mais variados testes para se medir os mais diversos tipos de quocientes de inteligência. Entretanto, todos os testes são circunstanciais, parciais e incompletos. Nenhum deles é definitivo. Habilidades que são detectadas em uns, não são em outros. Capacidades que são aferidas em um momento, se mudamos as variáveis (como estou, onde estou, níveis de gestão psíquica), não são aferidas em outros.

Não vou entrar em muitos detalhes teóricos e científicos sobre essas áreas nesta obra de aplicação psicológica, mas gostaria de dizer que os códigos da inteligência envolvem as três áreas. Decifrá-los e aplicá-los são processos conscientes, mas ao fazer esse exercício atingiremos as regiões inconscientes, as camadas mais profundas da inteligência humana, ainda que não percebamos.

Destacarei oito códigos da inteligência mais relevantes. Grande parte do que a imprensa escreve é texto de auto-ajuda, orientação para os leitores fazerem suas escolhas, apesar de alguns jornalistas não admitirem e nem gostarem dessa linha literária.

Gosto muito de escrever livros de ficção. Mas vários dos meus livros são de "não-ficção". Alguns deles são classificados erroneamente como auto-ajuda. Os que os classificam assim, não entendem quais são as gritantes diferenças entre um livro de auto-ajuda e um livro de ciência aplicada; enfim, de psicologia, psiquiatria, pedagogia e filosofia aplicada. Apesar das minhas enormes limitações, procuro democratizar o conhecimento sobre o funcionamento da mente extraído da teoria que desenvolvi.

> **Ser feliz não é ter uma vida perfeita, mas humildade para reconhecer os erros, sabedoria para receber uma crítica injusta, coragem para ouvir um "não", sensibilidade para dizer "eu te amo", desprendimento para falar "eu preciso de você".**
>
> **A. Cury, em *Dez leis para ser feliz***

Meu objetivo é disponibilizar ferramentas para estimular o debate de idéias, para que os leitores aprendam a atuar em seu psiquismo, a desenvolver consciência crítica, proteger sua emoção, tornarem-se gestores da sua mente e serem capazes de expandir seu potencial intelectual e prevenir transtornos psíquicos.

Musculatura intelectual e emocional

Sem decifrarmos os códigos da inteligência, não teremos musculatura emocional para irrigar o desenvolvimento da serenidade, do altruísmo, da coerência, da ousadia e da criatividade. Os que expandem sua saúde psíquica, refinam seu prazer de viver e libertam seu imaginário criativo, não são os que fazem da sua memória um depósito infindável de informações, mas os que se submetem aos mais disciplinados treinamentos intelectuais para decifrar os códigos da inteligência, ainda que o façam intuitivamente, sem nenhuma metodologia educacional.

> Sem sonhos, a vida é uma manhã sem orvalhos, um céu sem estrelas, um oceano sem ondas, uma vida sem aventuras, uma existência sem sentido.
>
> A. Cury, em *Nunca desista dos seus sonhos*

Eis o grande e inaceitável paradoxo: *o* Homo sapiens*, ao longo da história, aprendeu a decifrar sua inteligência para atuar no teatro social, mas não aprendeu a decifrá-la para atuar no teatro psíquico, gerir sua peça intelectual. Somos tímidos espectadores onde deveríamos ser ágeis atores.*

Diariamente inúmeras pessoas ricas ou miseráveis, nas mais diversas sociedades, são vítimas de agressivos seqüestros. Os seqüestradores estão alojados dentro de si. Vivem seqüestradas pelas imagens mentais deprimentes e pelos pensamentos mórbidos confeccionados clandestinamente em seu psiquismo. É raríssimo encontrar um ser humano verdadeiramente livre. Ainda não o encontrei.

Somos freqüentemente inertes, calados e silenciados no único lugar que deveríamos gritar e nos rebelar. Distribuímos um sorriso social que nem sempre espelha nosso clima emocional.

Exemplos imaginários, mas tão reais

Imagine um promotor austero e coerente em seu fórum, mas frágil e ilógico em sua psique. Demora horas ou dias para tomar decisões que qualquer um demoraria minutos, como comprar certa roupa, visitar um amigo, fazer uma viagem. Angustia-se e pune-se porque não decide coisas básicas. Não aprendeu a decifrar, entre outros códigos, o da autocrítica.

Imagine uma enfermeira cuidando carinhosa e corajosamente de seus pacientes em fase terminal, mas sendo péssima no cuidado de si mesma. Diariamente pensa que está com câncer e às portas da morte, só que seu câncer é imaginário, só existe como fantasia. Faz assepsia dos curativos com dedicação e irriga seus pacientes com esperança, mesmo que estejam à beira da morte, mas não dá migalhas de esperança para si mesma, ainda que esteja supostamente distante de morrer. Não aprendeu a fazer assepsia em sua mente, não aprendeu a decifrar o código da higiene psíquica.

Quem é especialista em cobrar e controlar os outros está apto para trabalhar em uma financeira e lidar com números, mas não com pessoas.
A. Cury, em
A sabedoria nossa de cada dia

Imagine um estudante aplicado e participativo em sala de aula, mas quando está diante de uma prova escolar embota seu raciocínio. Sabe toda a matéria, mas parece que não estudou nada. As janelas da sua memória se fecharam, pois o ato de fazer a prova se tornou um ato de terror, que trava sua inteligência. Não aprendeu a decifrar o código da proteção da emoção.

Situações como essas estão mais próximas de nós do que imaginamos. As pessoas que descrevi são especiais em determinadas áreas, mas falham muito em outras, não entenderam que seus maiores inimigos estão em sua mente e não no teatro social. Podemos conviver com pessoas injustas, mas ninguém pode ser mais injusto conosco do que nós mesmos.

Deveríamos lutar contra nossas mazelas psíquicas, mas nos intimidamos dentro de nós. E fora de nós, onde deveríamos agir com tolerância, nos tornamos combativos, machucamos quem não merece. Vivendo em uma sociedade superficial que não calibra nosso foco, erramos o alvo freqüentemente.

Capítulo 2

Em que escolas se ensina a decifrar os códigos?

Em que espaço social, em que família ou empresa, se aprende a treinar a filtragem de estímulos estressantes, que é um excelente código da inteligência? Esse lamentável erro educacional, sociológico, pedagógico, psicológico, tem gerado conseqüências gravíssimas.

As pessoas nem sabem que devem desenvolver um filtro psíquico, nem ao menos têm consciência de que devem se proteger para sobreviver. Por isso as perdas, os percalços sociais, as contrariedades, invadem sua psique com grande facilidade.

Muitos usam protetor solar e óculos escuros para se protegerem contra raios ultravioletas, mas não usam protetores para filtrar o lixo psíquico mais grosseiro a que se expõem. Não é esse um paradoxo absurdo e inadmissível? Temos de nos questionar: já gastamos tempo construindo esse filtro psíquico? Se não gastamos, teremos grande chance de gastar dinheiro com tratamentos.

Em que escola se treina decifrar o código do Eu como gestor psíquico? Entristece-me, como pesquisador do funcionamento da mente, saber que temos centenas de milhares de escolas no mundo, mas não há escolas que estruturam o Eu para ser líder da psique. Essa situação é tão aberrante quanto desejar que os jovens dirijam um teatro, mas os coloque como meros espectadores na platéia ou que pilotem um avião, mas os coloque como passageiros e não na cabine de comando.

> O sucesso é mais difícil de ser trabalhado do que o fracasso. O risco do sucesso é enterrar nossos sonhos e se tornar uma máquina de trabalhar.
>
> A. Cury, em
> *O vendedor de sonhos*

Grande parte das pessoas de todas as nações não sabe sequer que tem um Eu e muito menos que este deve exercer um controle de qualidade dos seus pensamentos. Em todos os lugares sabe-se que devemos exercer o controle de qualidade de produtos e serviços, mas não se fala sobre exercer o controle de qualidade sobre as idéias, imagens mentais e fantasias.

O sistema educacional, como já apontei outras vezes, tem o objetivo de preparar os alunos para o mercado de trabalho e não para a vida, mas no fundo não prepara para nenhum dos espaços, pois uma pessoa doente exercerá de forma doentia suas atividades profissionais.

O sistema educacional estressa tanto os mestres quanto os alunos por pautar sua retórica na transmissão de informações e não nos códigos da capacidade de intuir, criar, filtrar estímulos estressantes, gerenciar pensamentos.

Em que universidade se ensina a pensar antes de reagir?

Ao longo desses anos exercendo a psiquiatria e psicoterapia, além de treinar diversos psicólogos, percebi que muitos bons profissionais da minha área, inclusive da medicina, não decifraram os códigos da inteligência. Esse é um dos motivos pelo qual psiquiatras, médicos de outras especialidades e psicólogos estão mais predispostos a terem transtornos psíquicos. São excelentes para cuidar dos outros, mas se esqueceram de cuidar de si mesmos, são dedicados para aliviar a dor dos outros, mas se esqueceram de investir em seus projetos pessoais.

Em que universidade se treina sistematicamente os alunos para decifrar o código da capacidade de pensar antes de reagir? Os universitários judeus, palestinos, europeus, chineses, americanos, saem com milhões de informações em seu intelecto. Muitos decifram a linguagem da razão, mas poucos a da sensibilidade e do carisma. Muitos decifram a linguagem do individualismo, mas poucos a do altruísmo, por isso não entendem que os fortes usam as idéias, enquanto que os fracos, as armas. Os fracos impõem suas verdades, os fortes as submetem ao debate; os fracos segregam-se em seus feudos, os fortes lutam pela espécie humana.

> Os sonhos não determinam o lugar em que você vai estar, mas produzem a força necessária para tirá-lo do lugar em que está.
>
> A. Cury, em *Nunca desista dos seus sonhos*

Por não trabalharem a verdadeira força, alguns recuam diante das perdas; outros, ao contrário, reagem agressivamente diante delas. Não equipam sua capacidade de pensar antes de reagir, não elaboram suas respostas nos focos de tensão.

Quantos seres humanos estão no ápice do desespero nesse exato momento, inclusive pensando em tirar suas vidas, porque não aprenderam a confrontar, discordar, reciclar, os pensamentos pessimistas? Como é possível sobreviver sem decifrar esse código? *A mente pensa tolices, a emoção dá crédito a elas e o Eu ingênuo que não sabe descaracterizá-las e filtrá-las, paga a conta. A vida tão bela e singela torna-se, assim, uma fonte de ansiedade.*

Relações falidas sem decifrar os códigos

Pais e professores que não treinaram para ler as letras do alfabeto da gestão da sua psique e da arte de pensar antes de reagir, terão reações desproporcionais diante de desapontamentos dos filhos ou alunos. Controlarão, bloquearão, tolherão, mas não educarão. Amantes se machucarão mutuamente por diminutos comportamentos que rejeitaram. Colegas de trabalhos terão ciúmes fatais dos pares que se destacarem.

Quantos seres humanos socialmente invejados, como executivos, médicos, jornalistas, no silêncio de suas casas ou escritórios, não ferem quem mais amam? São calmos quando seus íntimos lhes dão retorno, mas explosivos quando turvam as suas expectativas. Será que nos recolhemos no templo da paciência diante dos íntimos que nos decepcionam?

Alguns dizem "eu sou sincero. Sou marcadamente honesto, tudo que vem à minha mente eu falo." Na realidade, seu excesso de honestidade é um reflexo de que não decifraram o código do autocontrole. São servos de seus impulsos. Há pessoas insuspeitas que lesam seriamente o direito dos outros.

Em que instituição religiosa e social se treina decifrar o Código do Altruísmo e o código da capacidade de se colocar no lugar dos outros? Enxergar os outros com nossos olhos é uma tarefa superficial, não exige treinamento. Mas enxergá-los com os olhos deles exige refinado treinamento.

Que você seja um vendedor de sonhos. Ao fazer os outros sonhar, não tenha medo de falhar. E se falhar, não tenha medo de chorar. E, se chorar, repense a sua vida, mas não desista, dê sempre uma nova chance para si mesmo e para quem ama.

A. Cury, em *O vendedor de sonhos*

Sem decifrar esses códigos, ainda que sejamos profissionais de saúde mental, jamais entenderemos as lágrimas que não foram choradas, as dores que não foram expressas, os conflitos que não foram verbalizados. Tudo o que falarmos do outro será um espelho do que somos e não do que eles realmente são. Não respeitaremos as divergências. Não entenderemos que exigir que os outros sintam e pensem como nós é uma exigência insana e inumana. É não compreender que nossas diferenças são decorrentes de nossa complexidade psíquica e nenhuma delas nos exclui da fascinante família humana.

Líderes políticos e religiosos, se não decifrarem o código de se colocar no lugar dos que o confrontam, cometerão canibalismo psíquico. Bloquearão, silenciarão, excluirão.

> **Não somos um número de cartão de crédito, uma conta bancária, mas seres humanos únicos. Apesar dos nossos defeitos, somos estrelas vivas no teatro da existência.**
>
> **A. Cury, em *Você é insubstituível***

Creiam, o canibalismo não foi extinto na atualidade, apenas assumiu outras formas. Alguns anulam seus pares em nome dos seus dogmas, outros em nome da nação, religião, ideologia, raça, teoria "científica".

Capítulo 3

Não há mágica para decifrar o código

Se alguém quiser ter saúde psíquica e expandir os horizontes da sua inteligência, não há atalhos, não há mágica. Deve decifrar o código da inteligência, conhecer o funcionamento básico da mente humana, e fazer exercícios, estágio intelectual, educação continuada.

A mente humana é um terreno inóspito, sinuoso e cheio de segredos, um espaço infinito e ao mesmo tempo tão pequeno que cabe dentro de um cérebro, um fenômeno tão concreto e ao mesmo tempo tão impalpável. Um terreno que reis, políticos e intelectuais falharam em conquistar.

Se não tivermos sucesso mínimo nessa empreitada, como vamos atuar eficientemente no processo de construção dos pensamentos castradores e aterradores? Como vamos ser gestores da mais importante das empresas, a psique, a única que não pode ir à bancarrota?

Muitos não sabem que os sintomas psicossomáticos, como dores de cabeça, gastrite, nó na garganta, fadiga excessiva, são sintomas de insolvência da sua empresa psíquica, são sinais graves de que estão endividados, quase falidos. Mas quem se preocupa seriamente com a contabilidade da qualidade de vida? Somos lentos para agir, frágeis para mudar nosso estilo de vida.

Houve um empresário, por exemplo, que se tornou riquíssimo, começou com uma loja, passou para duas, três. Depois de dez anos era dono de uma invejável cadeia de lojas de roupas. Sabia vestir milhares de pessoas, mas nunca aprendeu a vestir sua psique para protegê-la e encantá-la. Tinha milhões no banco, mas sua mente estava endividada por idéias pessimistas e emoção irritadiça e seu corpo estava em um real estado de falência. Só descobriu isso depois de um grave infarto que quase o levou a ser vestido por um caixão de madeira.

Há um mundo a ser descoberto dentro de cada ser humano. Há um tesouro escondido nos escombros das pessoas que sofrem. Só os sensíveis e sábios os descobrem.
A. Cury, em
O futuro da humanidade

Não se engane! A tarefa de explorar e investir em sua saúde psíquica é exclusivamente sua. Ela é insubstituível. Nem os mais excelentes psicoterapeutas ou psiquiatras poderão realizá-la por você. No máximo, serão facilitadores do processo, objetivo também deste livro.

Mas como explorar o mundo intangível da mente humana? Como penetrar nos seus espaços insondáveis? Como prevenir transtornos psíquicos? Como expandir os horizontes do intelecto e as fronteiras da emoção? Através do desenvolvimento das funções mais importantes da inteligência.

Os códigos de uma emoção e um intelecto brilhante, extraordinário, intuitivo, criativo não estão na carga genética, embora sejam um dos fenômenos a serem considerados, nem na genialidade ou poderes particulares de uma casta de privilegiados, mas no treinamento intelectual.

O exercício imprescindível

Um ourives precisa das ferramentas certas para ferir o diamante e dar forma à jóia. Um biólogo precisa de ferramentas apropriadas para invadir o "invisível" mundo intracelular. Um astrônomo precisa de equipamentos adequados para vislumbrar fenômenos que estão a anos luz de distância da Terra. Do mesmo modo um ser humano que almeja percorrer as avenidas do mundo escuro, tão belo e tão ameaçador, tão concreto e tão impalpável, que o constitui como ser pensante precisa também de ferramentas apropriadas.

> **Nenhum pensamento é verdadeiro, mas uma interpretação da realidade. No ato de interpretação, o estado emocional (como estamos), social (onde estamos), personalidade (quem somos), metabolismo cerebral (genética), entram em cena causando micro ou macro distorções. Por isso, a verdade é um fim inatingível.**
>
> **A. Cury, em *Inteligência multifocal***

Existem ferramentas ou códigos universais? Devido à diversidade cultural, genética, religiosa, é questionável uma teoria psicológica falar em ferramentas ou códigos universais para explorar a mente humana, pois o que serve para um europeu não serve para um indiano, o que serve para um americano não é útil para um africano. Correto!

Entretanto, depois de mais de duas décadas de análise sistemática do funcionamento da mente, estou convicto de que realmente existem no psiquismo humano ferramentas ou códigos intelectuais que transcendem a cultura, religião, povo, sexo. Descobri-las e utilizá-las, metodológica ou intuitivamente, pode determinar onde uma pessoa vai chegar em suas atividades sociais, profissionais e afetivas.

Eles são capazes de propiciar tranqüilidade nas tormentas, transformar uma pessoa tímida em intrépida, impulsiva em ponderada, individualista em altruísta, alienada em interativa.

Sem utilizá-los, ricos serão miseráveis, índios amazônicos criarão fantasmas, intelectuais serão meninos agitados pelos ventos dos estresses, psicoterapeutas reduzirão a complexidade dos seus pacientes e os aprisionarão nas estreitas fronteiras dos seus diagnósticos.

Ninguém é 100% lógico

Por mais que possamos procurar a racionalidade, a coerência e a serenidade, nenhum ser humano é 100% lógico. E se porventura alguém conseguir ser 100% lógico, racional, é aconselhável fugir dele, pois será um carrasco, um aparelho de reagir e julgar rígido. Estará preparado para se relacionar com máquinas e não com os imprevisíveis e contraditórios seres humanos.

Só os computadores são invariavelmente matemáticos. Nem é desejável sê-lo. Por quê? Porque não apenas a irritabilidade, o egoísmo e a arrogância são frutos ilógicos da emoção, mas também o amor, a compaixão, a solidariedade e o perdão.

Steven Pinker, professor de Psicologia e diretor do Centro de Neurociência Cognitiva no Instituto Tecnológico de Massachusetts, reconhece que ainda há muitos mistérios sobre a mente, a consciência, o "self", o significado, o conhecimento e a ética. Mas discordo quando diz que a mente é um sistema de órgãos de computação para resolver o tipo de problema que os nossos ancestrais enfrentavam para se manterem vivos (Pinker, 2001).

Quem crê que seus pensamentos são verdades absolutas está preparado para ser deus e não um ser humano.
A. Cury, em *Os segredos do Pai Nosso*

A mente só resolve os problemas de sobrevivência se for treinada, equipada, educada. Uma vez equipada com os códigos da inteligência, a capacidade de resolução mental ultrapassa os limites da lógica, tem uma versatilidade inatingível pelos computadores.

Explique o que é o amor. Ele é inexplicável. Toda pessoa que ama é ilógica, se entrega mesmo sem ser correspondida. Quem tem paciência com quem erra, é ilógico. A paciência não pode ser prevista em um programa lógico de computador. É mais do que esperar, dar um intervalo de tempo — é uma intenção subjetiva, é confiar e dar crédito a quem não merece, pelo menos em um determinado momento. Quem se esquece de si mesmo e pensa na dor do outro também é ilógico.

O ódio e o amor, a arrogância e a humildade, nascem em fontes muito próximas, em fontes que transcendem os limites das leis da matemática, no indecifrável e imprevisível mundo da mente humana.

Quem aprende a decifrar os mais excelentes códigos da inteligência deixa o mundo intolerante e inflexível da lógica e dos números, e se humaniza. Torna-se paulatinamente resiliente, maleável, solidário, sensível, compassivo, paciente, generoso, magnânimo. Quanto mais decifra os códigos mais uma pessoa se torna um ser humano e menos deixa de ser um deus rígido e auto-suficiente. Infelizmente, como não aprendemos a decifrar os códigos, temos mais deuses do que seres humanos na humanidade.

Capítulo 4

Os códigos são universais

Um pajé e um intelectual

Se um pajé não romper o cárcere da rotina e desenvolver a capacidade de extrair o máximo de prazer nas diminutas coisas da existência, que é um dos códigos da inteligência, sua emoção poderá ser empobrecida, flutuante, instável.

De modo semelhante, se um proprietário de uma empresa de extração de petróleo não reciclar sua rotina e lapidar sua capacidade de extrair o belo, poderá dormir sob uma fortuna incalculável, mas terá grande chance de ser um miserável, cronicamente insatisfeito e instável. Sem decifrar o código da inteligência precisará de notáveis estímulos para ter sobras de prazer. Sua história perderá excitação.

O planeta psíquico é tão complexo que pode mudar as leis da matemática: a adição pode gerar diminuição, a multiplicação pode gerar contração. Só não entende esses paradoxos quem nunca se arriscou a explorá-los. Há mulheres que vestem grifes famosas, seus corpos reluzem cores e formas graciosas, mas suas emoções disfarçam a tristeza através de sorrisos programados. São seres humanos fascinantes que perderam o fascínio da vida.

Se um africano pertencente a uma tribo sem contato com a civilização "moderna", treinar sua intuição e autocrítica, que são outros códigos para explorar a psique, certamente será flexível, versátil, para enfrentar suas dificuldades. Conseguirá, por exemplo, ver seus obstáculos por outros ângulos e terá, assim, melhores condições para superá-los. Caso contrário, seus obstáculos serão arquivados de maneira superdimensionada pelo fenômeno RAM (Registro Automático da Memória), formando zonas de conflitos, que chamo na Psicologia Multifocal de janela killer.

> **Sonhos sem disciplina produzem pessoas frustradas, e disciplina sem sonhos produz pessoas autômatas, que só sabem obedecer a ordens.**
>
> A. Cury, em *Nunca desista dos seus sonhos*

Cunhei esse termo para mostrar que o volume de ansiedade ao entrarmos em uma janela killer é tão grande que bloqueia o acesso a milhares de outras janelas, impedindo que o Eu encontre informações para construir pensamentos e idéias inteligentes.

As janelas killer são pequeníssimas áreas do córtex cerebral, mas nelas estão arquivadas nossos traumas, fantasias, fantasmas, crises, fobias, ciúmes, sentimentos de inveja, baixa auto-estima, timidez, complexo de inferioridade, necessidade neurótica de poder, de controlar os outros, de ser perfeito.

De outro lado temos as janelas lights, que contêm as experiências de segurança, as imagens altruístas, a solidariedade, a tolerância, a generosidade, a paciência, a autoconfiança, a auto-estima, os prazeres, a capacidade de se colocar no lugar dos outros, a sensibilidade, a necessidade de inclusão.

As janelas killer ou zonas de conflitos travam ou bloqueiam os códigos da inteligência, a lucidez, o raciocínio esquemático, a serenidade, a sabedoria, a racionalidade humana. As janelas lights, ao contrário, os promovem. Janela da memória é um território de leitura em um determinado momento existencial.

O desafio de cada ser humano é abrir o máximo de janelas em um determinado momento para dar respostas lúcidas e coerentes. Entretanto, quando entramos em uma janela killer, as experiências doentias nela existentes geram um volume de ansiedade que bloqueia o acesso às demais janelas. Desse modo, reagimos sem pensar, instintivamente, como animais. Produzimos respostas agressivas, irracionais, débeis.

Se, por exemplo, um membro de uma tribo africana vir um raio caindo sobre uma árvore chamuscando-a, se não decifrar minimamente o Código da Autocrítica para filtrar o estímulo estressante, poderá formar uma janela killer. Toda vez que estiver diante de um raio e ler essa zona de conflito, terá reações distorcidas e anacrônicas. O raio poderá deixar de ser um fenômeno natural e se tornará um fenômeno sobrenatural, será associado a um deus ou um monstro, gerando superstições, dogmas, traumas.

> **Ninguém é digno do pódio se não usar seus fracassos para conquistá-lo.**
> **A. Cury, em *Nunca desista dos seus sonhos***

Nos ambientes modernos, de modo semelhante, há pessoas que, por não desenvolverem o Código da Autocrítica, dão um valor sobre-humano para as palavras e imagens de certas pessoas, produzindo ícones, ídolos políticos, divindades científicas, que silenciam suas vozes.

É mais fácil adoecer do que pensamos

Todos nós construímos inúmeras zonas de conflitos ao longo do processo de formação da personalidade: desde uma simples fobia até um nojo excessivo por um inseto, desde a aversão por alturas até a aversão por lugares fechados; desde uma reação impulsiva diante de um filho até uma reação apreensiva diante de uma platéia; desde um sentimento de culpa pelo passado até o sentimento de angústia pelo futuro.

Existem em nossa psique fenômenos que se tornaram deuses ou monstros? Reconhecer nossas miserabilidades é um outro código da inteligência. Parece tão fácil falar, mas muitos não têm coragem para reconhecer suas mazelas. Quem não decifra esse código arrasta suas doenças ao longo de todo traçado de sua história, tem chances mínimas de ser saudável.

De modo semelhante, se um executivo de uma empresa transcontinental não refinar o Código da Autocrítica e da intuição diante de seus desafios, não abrirá o leque da sua mente para enxergá-los por outros ângulos. Em vez de esses desafios gerarem oportunidades criativas, produzirão fantasmas e medo do futuro que o assombrarão.

> **Ninguém é digno da sabedoria se não usar suas lágrimas para irrigá-la.**
>
> **A. Cury, em *A sabedoria nossa de cada dia***

Tanto a mente de um indígena da Amazônia como a de um intelectual de Oxford têm facilidade de criar fantasmas, eles só mudam sua roupagem. Por que nossa mente tem tal facilidade? Porque os pensamentos conscientes nos quais se alicerçam a racionalidade do *Homo sapiens* são de natureza virtual. Não são reais em si mesmos. Tudo o que você e eu pensamos sobre nós mesmos e sobre os outros não é concreto, essencial, mas fruto de um sofisticado sistema de interpretação. Toda interpretação é passível de inúmeras distorções.

Goleman (1996) comentou que informações são estímulos bioenergéticos originados nos órgãos sensoriais que chegam ao sistema nervoso central através dos nervos. Ao serem levados ao cérebro, os estímulos são codificados e armazenados em áreas específicas, onde se interpretam e se diferenciam as informações provenientes de um mesmo órgão sensorial.

Como Goleman diz, os estímulos, tais como as palavras e as imagens, sofrem uma seqüência de processos para serem assimilados pelo córtex cerebral, camada mais evoluída do cérebro. Uma vez atingindo o córtex, como vimos, as variáveis emocional (como estamos), histórica (o que somos), social (onde estamos) e genética (nosso código) e a atuação do Eu como gestor psíquico influenciam a maneira como interpretamos cada estímulo.

Pequenas mudanças nesses ambientes deslocam a interpretação. Uma simples mudança em nosso estado emocional de tranqüilidade para ansiedade diante de um mesmo comportamento de um filho expresso em dois momentos distintos, gerará interpretações distintas, ainda que em alguns casos imperceptíveis. Tranqüilo, um pai pode ser tolerante com o erro de um filho; ansioso, um pai pode ser implacável diante de um mesmo comportamento.

Quem acha que seus pensamentos são verdadeiros, tem vocação para ser Deus e não humano. A verdade humana nunca é pura, mas interpretativa. Quando deciframos os códigos da inteligência nos tornamos mais flexíveis, tolerantes, inclusivos. Entendemos que mesmo na ciência as verdades científicas podem ter coerência, mas freqüentemente não são eternas nem imutáveis. Muitas grandes verdades caem a cada dez anos. Se no campo científico há tanta flutuação, imagine nas relações humanas.

Ninguém é digno do oásis se não aprender a atravessar seus desertos.
A. Cury, em *Treinando a emoção para ser feliz*

Quantas vezes depois de algumas horas de discussão achamos que extrapolamos, que poderíamos ter agido de outro modo? Nossa verdade caiu. Quantas vezes fora do calor das tensões percebemos que valorizamos coisas sem importância e sofremos estupidamente por tolices? Nossa verdade diluiu-se.

Precisamos treinar, diariamente, dar um choque de lucidez na nossa capacidade de interpretar a vida e seus eventos. Caso contrário, é quase impossível não cometermos erros inumanos, como foi o caso de Einstein. Vejamos.

Capítulo 5

Os códigos que Einstein não decifrou

A falha inconcebível de Einstein

Os mais importantes códigos ou funções da inteligência estão bloqueados em cada ser humano. Em uns excessivamente, em outros, de forma menos gritante. Einstein decifrou alguns importantíssimos códigos, como o Código da Intuição Criativa, da arte da dúvida, do debate de idéias, da observação rigorosa.

O gênio da física libertou seu imaginário, andou por ares nunca antes imaginados, reciclou paradigmas, produziu um corpo de conhecimentos que revolucionou a maneira como vemos o universo. Enxergou eventos físicos de modo único. Sua teoria foi de uma engenhosidade assombrosa.

Einstein foi considerado um dos maiores cérebros humanos. Mas teve alguns códigos da inteligência represados? Sim. Foram tão represados que ele cometeu algumas falhas inadmissíveis na relação com um dos filhos, mas raramente se comenta esse assunto na imprensa mundial.

Einstein era um homem simples, sociável, gentil, amante da música, mas o Código da Resiliência, a ser estudado, e o código da capacidade de se encantar atenta e prolongadamente com os pequenos estímulos da rotina diária estavam contraídos.

O pensador da física explorou muito o mundo à sua volta, mas pouco o pequeno e infinito mundo da sua mente. Não decifrar esses códigos foram provavelmente fatores que contribuíram para que ele construísse vilões em sua própria psique, tivesse traços depressivos, pensamentos mórbidos, pessimistas.

Einstein provavelmente também não decifrou na plenitude outros códigos que ultrapassavam os limites da lógica, como o Código do Altruísmo e da capacidade de se colocar no lugar do outro. Como comentei no livro *O futuro da humanidade*, se tivesse desenvolvido esses códigos em seu psiquismo, jamais teria deixado de visitar por anos a fio seu filho portador de uma psicose no manicômio em que o internou.

O grande Einstein se apequenou. Abandonou um filho no momento em que este mais precisava dele. Como pode um humanista agir sem humanidade? Como pode um pai colocar um filho no rodapé da sua história por ser psicótico? Einstein foi a primeira grande celebridade da ciência. Mas, enquanto brilhava, seu filho vivia no anonimato de um manicômio. *Todos os pais amam estar ao lado dos filhos que estão no pódio, mas a excelência do amor revela-se quando se está ao lado daqueles que nunca saíram das últimas fileiras.*

A vida é cíclica, quem hoje é aplaudido amanhã poderá ser vaiado; quem hoje é humilhado amanhã poderá ser exaltado.
A. Cury, em
O vendedor de sonhos II — A missão

Não se comenta que o homem que mais conheceu as forças do universo físico foi derrotado pelos fenômenos de um universo mais complexo, o universo psíquico. Os delírios, as alucinações, as imagens mentais surreais e os pensamentos desorganizados do seu filho eram fenômenos mais complexos do que os estudados na teoria da relatividade geral. Tais fenômenos o perturbaram.

O ambiente tétrico do hospital e seu sentimento de impotência em lidar com fatos ilógicos também o angustiaram. Por não decifrar determinados códigos da inteligência, o gênio da física agiu em algumas áreas sem nenhuma genialidade.

Os buracos negros da mente humana

Einstein estudou os complexos buracos negros que são capazes de sugar e destruir estrelas e planetas inteiros como a Terra. Mas não sabia que na psique humana existem buracos negros, as janelas killers, capazes de sugar e destruir nossa solidariedade, altruísmo, lucidez e raciocínio esquemático nos focos de tensão.

Freud decifrou o código da ousadia, da capacidade intuitiva, do olhar multifocal, da sensibilidade, do raciocínio esquemático, do processo de observação detalhado, por isso foi um grande produtor de conhecimento. Mas não decifrou plenamente o código da tolerância, do altruísmo, da democracia das idéias. Se os tivesse decifrado, descobriria que a verdade absoluta não existe na ciência, que a verdade é um fim inatingível. Sim, se os tivesse decifrado, jamais baniria da família psicanalítica amigos que contrariavam suas idéias, em especial em relação à teoria da sexualidade.

> **Quem quer o brilho do sol tem de adquirir habilidade para superar adversidades, tem de ser resiliente para atravessar o breu da soturna noite. A vida é uma grande aventura onde noites e dias se alternam. Não há milagres, só o milagre da vida.**
>
> A. Cury, em *O código da inteligência*

O grande Freud talvez suportasse as críticas de fora, mas não teve maturidade para suportar as críticas que surgiram dentro do ninho psicanalítico, não admitiu ser confrontado pelos seus íntimos.

E o Mestre dos mestres, Jesus Cristo, decifrou esses códigos? Ele falhou nos focos de tensão, quando o mundo desabava sobre ele? Como lidou com os opositores que surgiram ao redor da sua mesa? Tentei, através da análise crítica, derrubar o mito Jesus, mas esse homem me assombrou. No último jantar, ciente de que morreria do modo mais inumano possível no dia seguinte, decifrou o código da proteção da emoção e do gerenciamento dos pensamentos, por isso, para assombro da psicologia, conseguiu ter apetite em uma situação na qual qualquer um teria anorexia.

Nesse jantar anunciou que alguém o trairia, mas não o identificou. Pela proximidade da sua morte, sua tolerância e generosidade deveriam estar sendo tragadas pelas janelas killers do medo e da angústia. Mas decifrou o código do altruísmo, da resiliência, do carisma e da capacidade de se doar sem esperar o retorno. Somente isso explica por que, em vez de expor publicamente a traição de Judas Iscariotes, o protegeu e, ainda por cima, deu um pedaço de pão a ele.

Há mais mistérios entre desejos e sonhos do que imagina nossa vã psicologia. Desejos são intenções superficiais, sonhos são projetos de vida. Desejos não resistem ao calor das perdas, sonhos criam raízes nas dificuldades. Até os psicopatas têm desejos de mudança, mas só os que sonham transformam sua realidade.

A. Cury, em
Nunca desista dos seus sonhos

Seguro, disse-lhe: *o que tendes de fazer, faça-o depressa*. Não tinha medo de ser traído, mas de perdê-lo. Diferente de Freud, ele incluiu, abraçou e respeitou quem o decepcionou ao máximo.

E as nossas falhas?

É fácil criticar quem não decifra os códigos da sua inteligência. Somente grandes pensadores, como Einstein ou Freud, erraram nas relações humanas? Se voltarmos o dedo indicador para nós mesmos, passaríamos ilesos? Será que não temos zonas de conflitos que nos têm levado a colocar pessoas importantes no rodapé de nossa história, ainda que não admitamos?

Quem não é herói em alguns momentos e vilão em outros? Quem não é maduro em determinadas funções da inteligência e infantil em outras? Que psicólogo, pedagogo, sociólogo ou filósofo não tem reações incoerentes e tolas quando atingido por determinados tipos de estresses?

SEGUNDA PARTE

As quatro armadilhas da mente

Não há ser humano lúcido que não reaja com estupidez e nem outro tranqüilo que não tenha seus momentos de desespero. Devemos ter consciência de que somos uma massa de seres humanos imperfeitos vivendo em uma sociedade de pessoas imperfeitas. Você vai frustrar as pessoas próximas e elas irão frustrá-lo. Por isso, o código da tolerância não é uma opção nas relações humanas, mas uma necessidade insubstituível.

Capítulo 6

Primeira armadilha da mente humana: *o conformismo*

O ser humano pode viver amordaçado dentro de si, ainda que sua língua esteja livre para falar. Pode viver acorrentado, ainda que suas pernas estejam soltas. Pode viver asfixiado, ainda que seus pulmões estejam abertos.

Há diversas armadilhas mentais que são construídas clandestinamente ao longo do processo de formação da personalidade humana. Elas nos aprisionam no lugar em que todos deveríamos ser livres. Nenhum ser humano está livre delas, por isso nenhum ser humano é plenamente livre, seja ele uma criança ou um adulto, um intelectual ou um iletrado, um psiquiatra ou um paciente, um europeu ou um africano.

Lucidez para reconhecê-las e humildade para assumi-las são fundamentais para superá-las. Como quase tudo na psique é de mão dupla, as armadilhas da mente humana bloqueiam a capacidade de decifrar os códigos da inteligência e por sua vez a incapacidade de decifrar determinados códigos constrói essas armadilhas. Somos vítimas e vilões da sociedade, somos vítimas e vilões de nós mesmos.

Nos textos seguintes, abordarei quatro dessas armadilhas. Elas impedem o desenvolvimento da excelência psíquica, afetiva, social e profissional. Tais armadilhas podem estar presentes de maneira sutil ou marcante em cada um de nós. Até pessoas ativas, dinâmicas, empreendedoras, desembaraçadas, as alojam em seu psiquismo.

O conformismo

O conformismo é a arte de se acomodar, de não reagir e de aceitar passivamente as dificuldades psíquicas, os eventos sociais e as barreiras físicas. O conformista amordaça o Eu, impedindo-o de lutar pelos seus ideais, de investir em seus projetos, de transformar a sua história. Não assume sua responsabilidade como agente transformador do mundo, pelo menos do seu mundo.

> **As sociedades modernas tornaram-se uma fábrica de pessoas ansiosas. O normal é ser estressado, irritadiço, estar fatigado; o anormal é abraçar as árvores, falar com as flores, fazer da vida um espetáculo. Se estiver estressado, você é normal.**
>
> **A. Cury, em *O futuro da humanidade***

O *conformista acredita que todas as coisas são obras do destino, já o ativista acredita que o destino é uma questão de escolha. O conformista é vitima do seu passado, o ativista é autor da sua própria história. O conformista vê a tempestade e se amedronta, o ativista vê no mesmo ambiente a chuva e enxerga a oportunidade de cultivar.* O conformista se aprisiona no passado, o ativista se liberta no presente.

Existem seres humanos 100% conformistas ou ativistas? Não, porque ninguém bloqueia todas as funções da inteligência ou as liberta completamente! Alguns são magníficos para decifrar os códigos da inteligência em determinadas áreas, mas conformistas em outras e vice-versa. Alguns são ágeis para ganhar dinheiro, mas lentos para conquistar o que o dinheiro não compra.

Alguns são seguros para dirigir carros, mas frágeis para controlar suas reações. Alguns são peritos em conquistar metas profissionais, mas lentos para conquistar seus filhos, alunos, colegas de trabalho. Alguns são exímios leitores de livros, mas péssimos leitores de comportamentos.

Alguns são brilhantes para investir na sua empresa, mas péssimos para investir em si mesmos.

O conformismo é uma armadilha da mente que arrasta grande parte dos jovens e adultos. Não é catalogado como doença, mas é uma característica doentia da personalidade pulverizada em todas as sociedades. Soterra habilidades, anula dons, contrai competências, bloqueia algumas funções mais notáveis da inteligência. Alguns conformistas não conseguem nem ser conquistadores no teatro social nem, muito menos, no teatro psíquico. Não exploram nem o que as pessoas têm de melhor, nem o que possuem de mais rico. Vivem na superfície.

Você pode conviver com milhares de animais e talvez nunca será frustrado, mas se conviver com um ser humano, por melhor que seja a relação, um dia haverá algumas intensas frustrações. Tal consciência nos protegerá.

A. Cury, em
Maria, a maior educadora da História

Júlio Malta — nome fictício, mas história real — era filho de um grande empresário. Sempre teve os melhores carros à sua disposição, cartão de crédito quase que ilimitado. Freqüentava os melhores hotéis. Viajava de primeira classe nos aviões e desdenhava dos que viajavam em classe econômica. Acreditava em destino. Acreditava que estava destinado a viver uma vida de nababo, de abastado, eternamente.

Todo ser humano quer ser reconhecido, todo ser humano precisa escrever a sua própria história. Como tinha tudo ao seu redor, teve uma desvantagem competitiva em relação aos seus colegas que pouco tinham. Não decifrou que, se na juventude é aceitável a dependência dos pais, na vida adulta ela é uma fonte de ansiedade, baixa auto-estima, complexo de inferioridade. Não decifrou a capacidade de lutar pelo que ama. Pensou que o dinheiro comprava tudo, mas não comprou o amor da sua esposa, o respeito dos amigos, o prazer pelas simples coisas.

Não cursou faculdade. Não se preparou para assumir um trabalho na empresa da família. Condenou-se a ser um eterno dependente, um filho que vivia à sombra do pai. Pouco a pouco afundou nas drogas, se deprimiu e se tornou um alcoólatra. Até que, depois de vários tratamentos fracassados, descobriu que mais do que uma doença psíquica tinha um Eu doente, conformista, inerte, sem reação. Tinha tudo e não tinha nada. Não tinha uma história. Entendeu que um ser humano sem história é um livro sem letras. A duras penas começou a reescrevê-la. Ele precisava tratar de sua doença, mas precisava, muito mais, se reconstruir como ser humano.

O conformista é inerte e mentalmente preguiçoso, pelo menos na área em que se considera incapaz, inábil. Não exerce suas escolhas por medo de assumir riscos. Não expande seu espaço por medo da crítica. Prefere ser vítima a agente modificador da sua história. Prefere ser amante da insegurança a parceiro do entusiasmo. Prefere enterrar seus talentos a dar a cara para bater. Os conformistas transformam fracassos em medo; os determinados transformam derrotas em garra.

> A vida é um grande contrato de risco, tem curvas imprevisíveis e acidentes inevitáveis.
> A. Cury, em *Filhos brilhantes, alunos fascinantes*

O conformismo amordaça pessoas fascinantes

Se um aluno não for conformista e tiver péssimo desempenho nas provas, decifrará o código da capacidade de lutar, reagir. Ficará incomodado, debaterá idéias, melhorará sua concentração. Dedicará mais tempo e energia para virar o jogo e se superar, como Einstein que não era um aluno brilhante nos primeiros anos de escola. Mas se for conformista, formará janelas doentias que o aprisionarão e o levarão a acreditar que seu destino está traçado. Transformará mentiras em verdades, acreditará ser incapaz, limitado, destituído de inteligência, intelectualmente inferior aos seus colegas.

Quantos milhões de jovens não estão formando neste exato momento janelas traumáticas que assassinam sua capacidade de empreender, de se aventurar, ter gana, garra, auto-estima?

Algumas pessoas que foram desprezadas publicamente nunca mais se ergueram. Outras que foram abandonadas por quem amam nunca mais desenvolveram autoconfiança. Ainda outras que perderam uma ou mais vezes seu emprego nunca mais acreditaram em si mesmas. Deixaram de usar ferramentas para explorar sua psique. Deixaram de decifrar os códigos da sua inteligência. Sentenciaram-se à nulidade. Ninguém pode asfixiar, anular e amordaçar mais um ser humano do que ele mesmo.

> **A sabedoria não está em não falhar ou sofrer, mas usar nossas falhas para amadurecer e nosso sofrimento para compreender a dor dos outros.**
> A. Cury, em *O mestre inesquecível*

Tornaram-se algozes do seu ser. Rotularam-se e se deixaram rotular. Alguns estão sempre autoaprisionando, achando que serão depressivos, fóbicos, obsessivos, para sempre. Não lutam desesperadamente pela sua saúde psíquica. Não percebem que são, acima de tudo, complexos seres humanos e como tal podem desenvolver a capacidade de proteger sua emoção, gerenciar pensamentos, filtrar estímulos estressantes.

Desconhecem o tesouro soterrado nas pilhas das suas perdas. Se decifrassem os códigos da inteligência, romperiam suas algemas, se reciclariam e se preparariam para uma segunda jornada afetiva e profissional.

Reis das desculpas

Os conformistas são os reis das desculpas. Sempre têm justificativas para não atuar, não treinar, não exercitar seu intelecto. Raramente duvidam daquilo que os controla e proclamam: "Não concordo comigo mesmo! Não aceito este destino!" Claro que há fatalidades que não dependem de nós e sobre as quais não temos controle. Devemos aceitá-las com humildade e serenidade, mas no que depender de nós, jamais deveríamos nos isentar de agir.

Alguns conformistas vestem o manto da humildade, mas por dentro exalam o aroma do egoísmo. Nem sempre o conformista é egoísta com os outros, mas certamente o é consigo mesmo. Não tem um caso de amor consigo mesmo, não usa todo seu potencial para executar seus sonhos e superar suas falhas.

Os conformistas parecem desapegados a preconceitos, mas na realidade são profundamente aferrados a sua visão estreita de vida e aos seus maneirismos (manias). Alguns parecem desprendidos do dinheiro, condenam o materialismo, mas no fundo o amam silenciosamente. Coloque uma fortuna em suas mãos que o monstro da cobiça que hiberna como janela killer no seu inconsciente se despertará.

Alguns são mestres dos disfarces. Dizem que está tudo bem, não assumem suas reais dificuldades. Não pedem ajuda e nem treinam seu Eu para correr riscos. Têm medo de serem criticados, vaiados, vencidos.

Reafirmo que todos nós bebemos elevadas doses de conformismos em algumas áreas de nossa personalidade. Alguns são ótimos para resolver problemas dos outros, mas são péssimos para resolver os seus. Outros são intrépidos para estimular seus amigos a sair do lugar, mas não têm coragem de vencer sua paralisia. Preferem a falsa proteção do casulo em que se escondem a ousar viver em um mundo livre com suas nuanças e perigos.

Os perdedores vêem os raios e se amedrontam, os vencedores vêem a chuva e com ela a oportunidade de cultivar.
A. Cury, em *Revolucione sua qualidade de vida*

Capítulo 7

Segunda armadilha da mente humana: *o coitadismo*

O coitadismo é a arte de ter compaixão de si mesmo. O coitadismo é o conformismo potencializado, capaz de aprisionar o Eu para que ele não utilize ferramentas para transformar sua história. Vai além do convencimento de que não é capaz, entra na esfera da propaganda do sentimento de incapacidade. O coitadista faz marketing de suas crenças irreais, impotências, limitações. Não tem vergonha de dizer "Sou desafortunado!", "Sou um derrotado!", "Nada que faço dá certo!", "Não tenho solução!", "Ninguém gosta de mim!"

São pessoas com notável potencial, mas que o jogam no lixo. Incorporam o papel dramático e autopunitivo de que estão programados para serem fracassados. Nada é tão violento contra si mesmo.

Nem todo conformista é coitadista, mas todo coitadista é um conformista. Por que o coitadista demonstra seu complexo de inferioridade e suas miserabilidades? Porque usa sutilmente e, às vezes inconscientemente, a sua miséria para que os outros gravitem na sua órbita. Portanto, têm ganhos secundários com sua propaganda.

O conformista está sempre esperando que os outros o encorajem, o animem, o estimulem, com palavras tais como "você é capaz!", "não desista!", "você é inteligente!", "você é querido!" São ricos e não o sabem. Dependem das migalhas dos outros para sobreviver, ter atenção, ser valorizado. Não decifra os códigos da sua inteligência. Deixa que os decifrem por ele. Condena-se assim a uma eterna mesmice.

Maria Lúcia tomava doze medicamentos entre tranqüilizantes e antidepressivos quando a atendi pela primeira vez. Estava doente há dez anos. Era depressiva, solitária, negativista, insociável. A cada dez palavras que proferia, nove eram para reclamar da vida. Não saía de casa nos últimos anos. Era professora, mas não exercia a profissão. Considerava-se imprestável para estar à frente de uma classe. Seu marido não ganhava o suficiente para suprir as necessidades da casa. Considerava seu marido um fraco; ele se calava porque dependia do pai dela para completar o orçamento familiar. Eram cúmplices de sua miséria sem terem consciência plena disso.

> **Os fracos julgam, os fortes compreendem.**
> **Os fracos são rígidos, os fortes são tolerantes.**
> A. Cury, em
> *12 Semanas para mudar uma vida*

O pai ia diariamente cuidar da filha. Ele a elogiava, a levava aos médicos, acariciava, valorizava, aconselhava, mas Maria Lúcia não reagia. Nenhum medicamento fazia efeito. Diariamente dizia que estava passando mal, que sua vida não tinha sentido. Às vezes, tinha crises dramáticas em que batia a cabeça na parede. Seu pai era chamado às pressas para socorrê-la.

No início do tratamento, estimulei-a a sair da platéia, a entrar no palco e dirigir o roteiro da sua vida. Mas ela preferia ser uma atriz figurante. A prática do coitadismo a impedia de decifrar seu potencial intelectual. Tinha medo de ser ela mesma. Se melhorasse, quem dela teria piedade? Como poderia sugar a energia dos seus filhos, marido e, em especial, do seu pai?

Sim, ela estava realmente doente, não estava simulando, mas não sabia que havia aprendido a usar sua doença para ter ganhos secundários, para ter migalhas de prazer e atenção. Os meses se passaram e pouco a pouco foi lapidando seu Eu para sair da platéia. Resistia em deixar de ser doente, embora conscientemente o quisesse.

Como a vida tem acidentes imprevisíveis, um dia sua mãe morreu. Tempos depois, seu pai arrumou outra esposa e em poucas semanas ela entrou em choque com a madrasta. Foi um caos. O pai se afastou da filha, o dinheiro secou, a superatenção se evaporou. E agora? Tinha de sair do útero da sua casa e se virar no útero social. Foi o que fez. A mulher coitadista decifrou vários códigos da inteligência.

> **Os fracos excluem, os fortes abraçam. Os fracos fecham as portas, os fortes dão tantas chances quantas forem necessárias.**
> A. Cury, em
> *12 Semanas para mudar uma vida*

Começou a resgatar seus sonhos e a lutar por eles. Começou a enfrentar suas crises e seus sintomas sem apoio de ninguém. Começou a enfrentar seus fantasmas interiores. Para quem não saía da cama, era uma tarefa árdua. Mas pouco a pouco a "imprestável" profissional começou a brilhar como professora. Rompeu as algemas psicossociais que financiavam sua doença e libertou sua inteligência.

Os coitadistas não sabem que a autopiedade é uma masmorra psíquica que asfixia o prazer, amordaça o desenvolvimento das funções mais importantes da inteligência e bloqueia a excelência intelectual e emocional. Quem tem dó de si mesmo constrói seus alicerces psíquicos no vazio.

Há vários níveis de operacionalidade do coitadismo. Os coitadistas clássicos são facilmente notados, nunca mudam, não saem do lugar, são cansativos, repetitivos, pessimistas, propagandistas de sua miserabilidade. Mas há os que são ativistas, socialmente valorizados, mas têm traços sutis de coitadismo. São fortes para muitas coisas, mas frágeis para tantas outras. Não conseguem parar de fumar, beber excessivamente, serem irritados, impulsivos, viciados em trabalho. Foram derrotados por inúmeras tentativas frustradas. São injustos consigo mesmos; sentenciaram-se de que são imutáveis.

Acorrentados

Há os que lutam pelo que pensam, batalham por suas idéias, mas se acham pobres miseráveis diante de sua impulsividade, irritabilidade, humor depressivo, ou sintomas psicossomáticos como dores de cabeça, dores musculares, queda de cabelo, gastrite, fadiga excessiva. Não levam desaforo para casa, mas diariamente levam desaforo para dentro. Sabem que precisam reescrever alguns capítulos de sua vida, mas não têm força para pegar a caneta do seu Eu e o papel da sua alma. Adiam sempre.

> **Todos os pais e professores amam estar ao lado dos filhos e dos alunos que estão no pódio, que atingem os primeiros lugares, mas a excelência do amor revela-se quando nos colocamos ao lado daqueles que nunca saíram das últimas fileiras.**
> **A. Cury, em**
> ***O código da inteligência***

Muitos coitadistas são autodestrutivos. Não têm um romance com a própria vida. Alguns são muito amados e quem os ama suplica para que cuidem de sua saúde, mas eles insistem em se autodestruir, em falar que são incapazes, em dormir poucas horas de sono, em se atolar de atividades profissionais. Só param quando estão no leito de um hospital ou no leito de um túmulo. Quando você consegue saber qual é o seu limite?

Alguns coitadistas são humanos com os outros, mas inumanos consigo mesmos. Gostam de cuidar das pessoas, mas são péssimos para cuidarem de si. São vagarosos naquilo que deveriam ser desesperados. Os coitadistas, como os conformistas, se auto-abandonaram.

Todos nós temos algumas doses de coitadismo em nossa personalidade, ainda que imperceptível. Todos nós preservamos alguns conflitos que mimamos como se fossem animais de estimação. Ninguém pode tocar nesse "animal", senão viramos uma fera. Algumas pessoas são mansas, mas quando cutucadas em certas áreas ficam irreconhecíveis.

Os coitadistas bloqueiam seu psiquismo porque são contra ter ambições, sem saber o papel fundamental delas. Ambições são importantes? Sim, algumas são legítimas e valiosíssimas. Quem pode desprezar a ambição de ter saúde psíquica, ser tranqüilo, feliz, sábio, solidário, ter uma vida confortável, procurar excelência profissional? Quem não decifrar o código da ambição ao explorar sua psique viverá sempre na superfície. Mas o coitadista acha que todas as ambições são malditas.

A pobre energia do desejo e a forte energia da ambição

O coitadista, bem como os conformistas, não entende que ambição é vital para o Eu mudar as suas rotas. Não entende que a energia da ambição suplanta a energia do desejo. Desejo é uma intenção superficial. Ambição é um projeto de vida. Desejo é alicerçado pelo ânimo, ambição é alicerçada pela garra. Os ambiciosos só descansam quando atingem suas metas, os coitadistas descansam antes de entrar na raia.

> **Devemos elogiar as pessoas em público e corrigi-las em particular. Esse foi o exemplo do Mestre dos mestres.**
> **A. Cury, em**
> ***O mestre dos mestres***

Você tem ambições saudáveis ou desejos tímidos? Se tem desejo de conquistar pessoas difíceis, a energia do desejo se dissipará no calor das primeiras decepções. Mas se decifrar o código da ambição para conquistá-las, as decepções nutrirão sua força, as frustrações alimentarão sua criatividade.

Um homem tosco, rude, irritadiço, se tiver apenas o desejo de ser romântico, morrerá sendo agressivo, mas se decifrar o código da ambição do romantismo, de se refazer, de se reorganizar, poderá dar um salto. Esse código pautará sua agenda, o levará a traçar um projeto diário que o controlará e o fará surpreender quem ama, dirá coisas inesperadas, fará elogios inusitados, terá gestos inesquecíveis. Regará suas atitudes com gentileza.

Um pai fechado, rígido, que é um manual de regras de comportamento e que só pensa em trabalho, se apenas tiver o desejo de conquistar e ter a admiração dos seus filhos, morrerá distante deles, não terá êxito. Mas, se decifrar o código da ambição da conquista, revolucionará sua agenda. Chorará se necessário, reconhecerá seus erros, pedirá desculpas, será mais flexível, relaxado, aberto. Brincará, se soltará e terá mais coragem de contar seus dias mais difíceis para seus filhos para que eles o fotografem em seu inconsciente como um pai humano, próximo, afetivo, instigante.

Alguns têm desejo de serem organizados, mas passa ano entra ano e continuam desleixados. Outros têm desejo de serem econômicos, de gastar menos do que ganham, mas quando vêem um novo produto, são escravos da euforia, não pensam no amanhã, gastam o que não têm.

A sociedade está tão neurótica na atualidade que as crises financeiras e as pressões profissionais podem adoecer tanto ou mais do que os traumas do passado. Os pais da psicologia se remoeriam em seus túmulos se soubessem que o útero social se tornou uma fábrica de pessoas doentes.

> Educar é viajar no mundo do outro, sem nunca penetrar nele. É usar o que passamos para transformar no que somos.
> A. Cury, em
> *Maria, a maior educadora da História*

Não basta a energia do desejo. Até um psicopata tem desejo de mudanças. Quem não tem uma sólida ambição de superar seus conflitos não potencializa seu tratamento psíquico, tem chance de levar para o seu túmulo suas fobias, inseguranças, obsessões, baixa autoestima, alcoolismo, dependência de outras drogas.

Os coitadistas e conformistas esmagam as habilidades do Eu para decifrar os códigos da inteligência. Aprisionam-se nas tramas da mesmice, bebem da fonte dos desejos, enquanto os agentes modificadores da sua história bebem da fonte da ambição, do manancial dos projetos de vida.

Capítulo 8

Terceira armadilha da mente humana: *o medo de reconhecer os erros*

O medo de reconhecer erros é, acima de tudo, o medo de se assumir como um ser humano com suas imperfeições, defeitos, fragilidades, estupidez, incoerência. Formamos nossa personalidade em uma sociedade superficial que esconde nossa humanidade e supervaloriza nosso endeusamento.

Hoje quem está brilhando poderá, amanhã, cair em desgraça para que outro o substitua. O pódio é cíclico, não há espaço para dois lugares. Além disso, a mídia constrói e destrói mitos. Podemos ter dignidade para estar entre os primeiros lugares ainda que nunca subamos no pódio e mesmo fiquemos entre os últimos lugares.

Uma minoria ganha o Oscar, o Nobel, o Grammy. Uma minoria torna-se ícone social e profissional. Mas, como veremos, podemos desenvolver os hábitos dos profissionais excelentes e brilhar ainda que nunca sejamos um ícone; podemos revolucionar o ambiente em que estamos, ainda que anonimamente.

Por vivermos em uma sociedade que valoriza os super-heróis, negamos consciente ou inconscientemente nossa humanidade. Temos medo de assumir o que realmente somos, seres humanos, mortais, falíveis, demasiadamente imperfeitos. Não há sábios que não tenham loucuras. Gostamos de ver as chagas dos outros, não as nossas. Os noticiários televisivos expõem as falhas alheias e cativam nossos olhos, enquanto ficamos na sala silenciosos, escondidos de nós mesmos em nossas poltronas.

Não é possível desenvolver as funções surpreendentes da inteligência, as ferramentas mais importantes para explorar nossa psique, se não tivermos coragem de enfrentar nossa realidade, descortinar algumas áreas de nossa personalidade. A psique, como temos visto, é como um teatro, mas um teatro real, onde encenamos uma peça concreta. Quem representa essa peça, quem não se assume, quem não reconhece suas "loucuras" viverá artificialmente, não amadurecerá.

> O melhor educador não é o que controla, mas o que liberta. Não é o que aponta os erros, mas o que os previne. Não é o que corrige comportamentos, mas o que ensina a refletir. Não é o que desiste, mas o que estimula a começar tudo de novo.
>
> A. Cury, em *Maria, a maior educadora da História*

Errar é humano, mas não admito meus erros

O ser humano é de um lirismo ácido. Todos sabem que errar é humano, mas insistimos em ser deuses, temos a necessidade neurótica de sermos perfeitos. Amamos conviver com pessoas simples, despojadas, mas complicamos nossa vida. A energia gasta pela necessidade neurótica de ser perfeito é caríssima, esmaga o prazer de viver.

O medo da crítica, do vexame, da rejeição, do pensamento alheio, dos olhares sociais, tem feito mentes brilhantes apagarem seus luzeiros. Por nada e ninguém podemos deixar de decifrar o código da espontaneidade. Quem não o decifra pouco a pouco se deprime. Nossa liberdade não pode estar à venda por preço algum. Mas a vendemos por bobagens, a trocamos com incrível facilidade. Veja os exemplos.

Quando alguém nos aponta um erro, mudamos de cor e trocamos de humor. Quando alguém revela alguma atitude estúpida, ficamos indignados. Nas relações em que o poder é desigual, a situação é pior. Quando um paciente corrige um psiquiatra, gera um escândalo. Quando um funcionário aponta uma falha de um executivo, é sinal de irreverência. Quando um filho discorre sobre um comportamento débil de um pai, revela um desacato à autoridade. Nada tão absurdo! Nada tão imaturo!

Podemos resumir Jesus Cristo como A. Cury, em *O mestre dos mestres* neste pensamento: nunca alguém tão grande se fez tão pequeno para tornar os pequenos grandes.

A. Cury, em
O mestre da sensibilidade

Nas relações desiguais, o vírus do orgulho contagia em frações de segundo o cérebro daquele que se considera superior, levando-o a silenciar a voz do que está em uma posição inferior. Tais reações são doentias, pois não há psiquiatra, executivo e pais que não falhem e, às vezes, vexatoriamente. Quem usa a relação de poder para impor suas idéias não é digno do poder em que está investido.

Quantos professores não cometeram acidentes na formação da personalidade dos seus alunos, ainda que sem o perceber, porque nunca tiveram coragem de pedir desculpas quando levantaram a voz desnecessariamente ou julgaram precipitadamente? Não decifraram o código do desprendimento e da generosidade.

Certa vez, um professor fez um aluno repetir várias vezes uma palavra que não conseguia articular diante de seus colegas até acertar. Quanto mais tentava, mais errava e mais arquivava janelas killers dentro de si. Até que começou a chorar e o professor se arrefeceu.

Poucos segundos pautam uma história. Sua atitude desastrosa aprisionou esse jovem aluno no lugar que deveria ser espontâneo e livre. O resultado? Nunca mais, mesmo quando adulto, conseguiu falar em grupo. Ao tentar se expressar, tinha falta de ar, excesso de suor, seu coração parecia que ia sair pela boca. Seu cérebro o preparava para fugir do monstro do vexame, da humilhação, cravado em sua psique.

Muitos pais querem que seus filhos sejam humanos, mas eles mesmos se comportam como se fossem supra-humanos. Pais no mundo todo, da Europa à China, do Oriente Médio às Américas, querem que seus filhos reconheçam seus erros, mas neuroticamente não reconhecem os erros deles. Querem que seus filhos se humanizem, mas eles se comportam como deuses.

> O excelente mestre não é o que mais sabe, mas o que mais tem consciência do quanto não sabe. Não é o que é viciado em ensinar, mas o mais ávido a aprender. Não é o que declara os seus acertos, mas o que reconhece suas limitações.
>
> A. Cury, em
> *Maria, a maior educadora da História*

Quem não decifra os códigos da inteligência acaba formando deuses, jovens insensíveis, frios, que só pensam em si mesmos. Quem os decifra e os aplica tem grande chance de formar pensadores que decifrarão e aplicarão também esses códigos.

O código do amor

Há milhares de jovens nas universidades destituídos de sensibilidade, com traços marcantes de psicopatias. Têm cultura acadêmica, mas não são solidários, tolerantes, altruístas; ao contrário, são egoístas, radicais, sectários. Desconhecem o código da família humana. Amam sua religião, sua ideologia política, seu pais, seu time esportivo, sua raça, mais do que a espécie humana. Se um dia dirigirem sua nação, cometerão atrocidades, não se importarão com as necessidades dos outros.

Está corretíssimo do ponto de vista psiquiátrico, psicológico e sociológico o famosíssimo pensamento *Amai o próximo como a ti mesmo.* Quem é o próximo? O próximo não foi definido, porque inclui todas as raças, todas as culturas, todas as religiões. Só foi definido quem deve decifrar o código do amor: amar como a *si mesmo*. Que intrigante sabedoria!

Como abordo no livro *Pais brilhantes, professores fascinantes*, quanto pior for a qualidade da educação neste século mais importante será o papel da psiquiatria e da psicologia clínica. Não têm tido elas papéis em franco processo de crescimento?

Estamos ensinando as crianças e os adolescentes a conhecerem as entranhas dos átomos que nunca verão, mas não o seu complexo planeta psíquico. É preponderante ensiná-los a conhecer seu psiquismo, bem como os códigos para deixarem de ser vítimas dos traumas da infância, das perdas da adolescência, das frustrações da vida adulta.

Uma pessoa que defende suas idéias está correta, mas quem defende demasiadamente sua posição revela uma grande insegurança. Não se deixa influenciar, corrigir, repensar. Defender excessivamente nossas opiniões reflete fragilidade.

Há pessoas educadas, que nos primeiros cinco minutos de conversa são agradabilíssimas, parecem seres angelicais, mas conviver com elas é um tormento. Tecem mil argumentos para sustentar suas atitudes. Nunca reconhecem erros, nunca pedem desculpas. Sugam a energia vital dos outros por falar muito e procurar excesso de atenção. Não cresceram psiquicamente.

> **Como nas sociedades modernas as mulheres estão doentes pelo padrão ditatorial de beleza, elas chegam diante do espelho e fazem uma guerra. Dizem "Espelho, espelho meu, existe alguém com mais defeito do que eu?" Mas cada mulher tem sua beleza única. Beleza está nos olhos de quem enxerga.**
>
> **A. Cury, em**
> ***A ditadura da beleza***

O homem Jesus teve reações que chocaram o mundo e nos deram grandes lições antes de ser preso. Decifrou códigos nos quais seus mais importantes seguidores tropeçaram vexatoriamente. Era seguro, lúcido, coerente, enfrentava os vales do medo com incrível coragem, mas quando precisou decifrar o código das lágrimas não se segurou, quando precisou se despir da sua força e decifrar o código da autenticidade admitiu sua dor com uma clareza cristalina, disse que sua alma estava deprimida até sua morte. Quando atravessou o deserto do desespero não se calou. Discorreu sobre seu drama.

Como digo no livro *Mestre do amor*, chamou três amigos, Pedro, Tiago e João, que momentos depois o decepcionariam, o abandonariam, e lhes disse que sua alma estava profundamente deprimida naquela hora. Só um ser humano verdadeiramente forte pode declarar sem medo sua fragilidade! Só um ser humano maduro não tem medo de si mesmo!

Os grandes líderes espirituais freqüentemente são solitários. Não dividem seus sentimentos, suas angústias, seus desertos existenciais com ninguém. Têm medo da crítica, medo da rejeição, medo de ser exposto publicamente.

O mesmo fenômeno da solidão, do isolamento psíquico, ocorre com muitas celebridades, intelectuais e profissionais bem-sucedidos. Quando estão no auge da fama e precisam dividir o peso do sucesso, se calam. Quando precisam dialogar com amigos sobre a asfixiante carga de estresse gerada pelo excesso de compromissos, chafurdam na lama do isolamento. Quando precisam se humanizar e falar dos seus sentimentos ocultos, se fecham. Ficam sozinhos mesmo quando aplaudidos.

Quem quer desfrutar do néctar das mais belas flores tem de vencer o medo do desconhecido, superar o medo das alturas e voar para ares nunca antes respirados.

A. Cury, em *Revolucione sua qualidade de vida*

Muitos não sabem que decifrar o código para falar de si e reconhecer seus erros é altamente relaxante, reconfortante, agradável. A sociedade nos estimula a sermos deuses, mas tentar ser um deus perfeito e intocável é altamente desgastante e psiquicamente deprimente.

Reconhecer nossas debilidades, entrar em contato de maneira nua e crua com nossa realidade, não é apenas um passo fundamental para oxigenar a inteligência, reeditar nossa memória e superar nossos conflitos, mas também para mergulharmos nas águas de descanso, para bebermos das fontes mais excelentes da tranqüilidade.

Lembre-se de que os tranqüilizantes podem diminuir a agitação psíquica, mas não produzem a tranqüilidade existencial. As técnicas psicoterapêuticas podem expor as causas de nossas mazelas, mas só nós podemos mudar nosso estilo de vida. É preciso decifrar os códigos da inteligência para cumprir esses nobres objetivos.

Capítulo 9

A quarta armadilha da mente humana: *o medo de correr riscos*

O medo de correr riscos bloqueia a inventividade, a liberdade, a ousadia. Há inúmeras pessoas que travaram sua inteligência e enterraram seus projetos de vida pelo medo de correr riscos. Não são conformistas nem coitadistas, eles almejam escalar seus alvos, mas não ousam. Procuram transformar seus sonhos em realidade, mas se inquietam com os riscos da jornada.

Reconhecem suas fragilidades, assumem suas limitações, mas não ultrapassam suas fronteiras, não decifram o código do ânimo, de fazer da sua agenda um canteiro de aventuras.

Quem decifra o código de que é necessário correr certos riscos para transformar seus projetos em realidade tem essa consciência: *a existência é um contrato de risco.* Por mais cuidados que se tenha, diariamente inúmeros riscos nos rondam.

Risco de enfartar, de se acidentar, de ter crises financeiras, de ser assaltado, de cair um avião em nossa cabeça, de tropeçar na calçada, de quebrar ossos praticando esportes, de ser decepcionado pelo cônjuge ou namorado(a), de ser frustrado pelos filhos, de ser traído pelos amigos, de ter inimigos sem motivo algum, de não preencher as expectativas dos outros, de ter reações incoerentes.

Eliminar todos os riscos da humanidade geraria pessoas autoritárias, individualistas, ensimesmadas, agressivas, deprimidas, entediadas. O risco implode nosso orgulho, esfacela nosso egocentrismo, nos une, nos estimula a criar laços e experimentar a difícil arte de depender uns dos outros.

Sem riscos, a psique não teria poesia, criatividade, intuição, inspiração, coragem, determinação, espírito empreendedor, necessidade de conquista. Sem riscos não conheceríamos o sabor das derrotas nem o paladar das vitórias, pois elas seriam um destino inevitável não fruto de batalhas. Sem riscos não erraríamos, não choraríamos, não pediríamos desculpas, não teríamos necessidade da humildade em nosso cardápio intelectual.

Quem triunfa sem risco, sobe
no pódio sem glória.
A. Cury, em
Nunca desista dos seus sonhos

Um código que nos humaniza

O código da consciência de que a vida é um grande contrato de risco nos humaniza. Sem tal consciência não entenderíamos que um dia todos iremos, como digo no livro *O vendedor de sonhos,* para o pequeno palco de um túmulo diante de uma platéia em lágrimas. Comportar-nos-íamos como imortais, revestidos de um poder incontrolável e selvagem, ainda que tenhamos nobres títulos acadêmicos.

Os riscos diante do caos da morte tornam ditadores em crianças, psicopatas em meninos, reis em frágeis seres. *Os riscos abortam nossa neurose de grandeza e nos fazem enxergar a grandeza das coisas pequenas, como a suavidade da brisa, as gotas de orvalho, as pulsações do coração, o sorriso de uma criança, a fé de um idoso.*

Os riscos nessa brevíssima existência também nos fazem ver as lágrimas de Autor da Existência no choro de um bebê que saiu do útero materno e entrou no útero social e no choro de uma platéia diante de alguém que saiu do útero social e entrou no útero de um túmulo.

O código dos riscos

Não deveríamos viver uma vida arriscada, radical, irresponsável. Não, não é esse código que devemos decifrar. Não devemos correr riscos pelos riscos, colocar nossa vida e a dos outros em perigo desnecessariamente. Pois a vida é única e espetacular. Cuidar dela carinhosa e responsavelmente é a tarefa mais nobre de um mortal. Mas devemos saber que realizar sonhos, conquistar pessoas e atingir a excelência profissional impõe riscos diários.

Para conquistar a platéia de alunos há riscos. É necessário decifrar vários códigos da inteligência: teatralizar a exposição, humanizar o educador, contar histórias, provocar a inteligência dos alunos. Mas há o risco de ser desprezado, ser considerado tolo, utópico. Vender idéias em uma sociedade consumista implica muitos riscos. Para arrebatar o coração de uma mulher é necessário, entre outras coisas, surpreender, encantar, ser afetivo, intuitivo. Mas há riscos, inclusive de invadir espaços.

Perdas e frustrações fazem parte da pauta de ricos e miseráveis, intelectuais e iletrados, o que nos diferencia é a forma como lidamos com elas.
A. Cury, em
A sabedoria nossa de cada dia

Como disse no livro *Nunca desista dos seus sonhos,* "Quem vence sem riscos triunfa sem glória. Quem vence sem glória triunfa sem lágrimas. Quem vence sem lágrimas triunfa sem humildade. Quem vence sem humildade triunfa sem valorizar seus pares e nem a labuta da jornada."

Não basta superar o conformismo, o coitadismo e nem reconhecer nossos erros, enfim superar as três armadilhas da mente comentadas anteriormente. É necessário superar o medo de ousar, de apostar em novos projetos, de batalhar por aquilo em que se acredita. Muitos intelectuais se tornaram estéreis na produção de novas idéias porque não ousaram arriscar nova linha de pesquisa, propor novos temas, caminhar pelo desconhecido.

O desconhecido e o medo de não chegar a lugar nenhum os paralisaram. Não é sem razão que as grandes descobertas na ciência foram realizadas no período de imaturidade dos cientistas e não no auge da carreira acadêmica. O auge da carreira em qualquer área, mesmo filosófica, política e espiritual, é o melhor meio de cultura para asfixiar nossos sonhos, ousadias, aventuras.

O ser humano é tão criativo que, quando não tem problemas, ele os cria.
A. Cury, em
O futuro da humanidade

No ápice da carreira, conquista-se aplausos, mas sepulta-se a intrepidez. Os maiores perigos para a inteligência de um executivo não surgem quando sua empresa atravessa dificuldades, mas quando navega em céu de brigadeiro. Nesse estágio não experimentam novos processos, métodos, idéias. Ninguém gosta do caos, mas ele pode ser uma fonte de oportunidades criativas.

Quem corre riscos nem sempre é compreendido

O medo de ousar tem destruído a formação de pensadores no mundo todo. Muitos estudantes têm medo de levantar as mãos, questionar seus professores, expressar seus pensamentos. O sistema educacional procura alunos quietos, mas a sabedoria procura alunos inconformados. O sistema educacional procura alunos que repetem idéias, mas a formação de pensadores procura alunos que debatam as idéias, usam o raciocínio esquemático e ousam nas provas.

Lembro-me de um aluno que tirou zero porque ousou pensar diferente. Merecia dez, mas foi completamente silenciado. Nunca mais ousou colocar seus pensamentos. Lembro-me de outro aluno que não escreveu direito uma palavra na prova. A professora o chamou na frente da classe e o fez escrever na lousa a mesma palavra dezenas de vezes.

Foi humilhado publicamente. A humilhação pública foi registrada no inconsciente dele gerando uma grave zona de conflito. Nunca mais conseguiu escrever textos para mostrar aos outros. No exato momento em que começava a construir palavras, suava frio, seu raciocínio se turvava, não conseguia pensar. Pequenos momentos mudam uma história.

As mulheres são maravilhosamente complexas; o dia em que você achar que compreende uma alma feminina, desconfie do seu sexo.
A. Cury, em
O futuro da humanidade

Vivi essa história. Há mais de 25 anos, quando era um estudante de medicina, escrevia informações de psicologia de modo diferente do que me ensinavam. Não as escrevia assim porque as considerava melhor do que as dos meus mestres, mas porque observava e deduzia algumas coisas de modo diferente. Tal atitude era uma afronta.

Tentaram me silenciar, mas felizmente a ousadia prevaleceu. Mas quantos pensadores emudeceram para sempre porque foram proibidos de pensar diferente? Você foi emudecido em alguma área da sua personalidade por alguém ou alguma circunstância? Nunca é tarde para romper as armadilhas da mente. É tempo de superar o medo de errar. Como digo no livro *Vendedor de Sonhos*, é tempo de caminhar sem medo de se perder.

Muitos amantes empobreceram sua afetividade porque não se arriscaram a criar um novo clima. Beijam, amam, se entregam e até discutem da mesma maneira. Alguns homens são tão engessados que nem conseguem mudar seus argumentos quando entram em atrito com suas parceiras. Não elogiam, nem trazem flores fora de data ou dizem coisas inesperadas. São repetitivos, irritantes, mas querem ser tratados como românticos. O medo de ousar aprisiona seu potencial afetivo.

Comentarei posteriormente que o medo só é doença na psiquiatria quando a reação é desproporcional ao estímulo estressante. Nem sempre o medo é fácil de ser detectado. Alguns não ousam porque têm um medo concreto, uma fobia definida, como medo de pequenos animais, lugares fechados, raios, acidentes.

Mas há pessoas que têm medos indefiníveis, objetos fóbicos não detectáveis. Têm o mais sutil de todos os tipos de medo, o medo do medo, uma apreensão dramática diante do desconhecido, do indecifrável. Freqüentemente esse tipo de medo tem raízes nas preocupações exacerbadas quanto ao futuro.

Dê as costas para sua dor que ela se tornará um monstro, enfrente-a que poderá domesticá-la, administrá-la.
A. Cury, em
A sabedoria nossa de cada dia

Todas as fobias são passíveis de serem superadas. Entretanto, veremos que não se apaga as janelas fóbicas da memória, apenas as reeditamos. Uma das possibilidades de reedição é decifrar e aplicar os códigos da inteligência, como filtrar estímulos estressantes, gerir o psiquismo, libertar a intuição criativa.

TERCEIRA PARTE

Os Códigos da Inteligência

Não conseguimos mudar a nossa mente como o escultor lapida o mármore bruto para construir sua obra, como o usuário de computador que apaga seus arquivos. Não é possível mudar as características da personalidade ao bel prazer, caso contrário os psiquiatras e psicólogos estariam desempregados do dia para noite. Bastaria atuar no metabolismo cerebral e deletar nossos traumas que as depressões, obsessões, ansiedades, ataques de pânico e fobias, seriam extirpadas do teatro psíquico.

Se por um lado não podemos mudar os fundamentos de nossa personalidade, por outro podemos e devemos decifrar os códigos da inteligência, utilizar ferramentas para atuar em nosso psiquismo e mudar nossa maneira de ser, reagir, ver e interpretar a vida, bem como expandir nossas habilidades intelectuais, emocionais e sociais. O que parece complicadíssimo, veremos que está ao nosso alcance.

Devemos ter em mente que mudanças rápidas só existem em uma mesa cirúrgica. Na psicologia, pedagogia, sociologia, filosofia, como temos visto, os códigos básicos da inteligência são desenvolvidos pela educação e pelo treinamento sistemático.

Capítulo 10

Primeiro código da inteligência: *Código do Eu como gestor do intelecto*

Estudei mais de cinqüenta códigos ou funções da inteligência (Cury, 1999). Eles entram em diversas áreas: educação, psicologia, sociologia, filosofia, psiquiatria. Discorrerei, neste livro, sobre apenas oito códigos que considero mais relevantes para serem aplicados na educação atual e na sociedade estressante em que estamos vivendo. Gostaria de escrever centenas de páginas sobre o assunto, mas o propósito deste livro não me permite.

Chamo as funções da inteligência de códigos porque não basta admirá-los nem entendê-los logicamente, é preciso decifrá-los intimamente, desvendar suas nuances, conhecer seus segredos, ter disciplina e treinamento para assimilá-los. Seria excelente se os jovens aprendessem a decifrá-los desde a mais tenra infância, estudando-os e fazendo dinâmicas e vivências para incorporá-los.

Os adultos rígidos, fechados, toscos, irritadiços, ansiosos, também poderão decifrá-los, vivenciá-los e incorporá-los, para reciclar seus hábitos e habilidades. O que exigirá um esforço maior.

Se forem bem trabalhados, os códigos da inteligência podem fazer uma pessoa alienada perseguir fantásticos projetos de vida, transformar um funcionário comum em um executivo brilhante, um eleitor tímido em um político extraordinário, um péssimo amante em uma pessoa afetiva, um relapso estudante em um notável pensador.

Os códigos da inteligência são os alicerces das inteligências múltiplas

De acordo com Howard Gardner, autor de *Inteligências múltiplas*, o conhecimento não é fragmentado, mas sim interligado através de um sistema de inteligências interconectadas e, em parte, independentes, localizadas em regiões diferentes do nosso cérebro, com pesos diferentes para cada indivíduo e para cada cultura (Gardner, 1995). Gardner chamou a atenção para a existência da Inteligência lingüística, lógica ou matemática, espacial, corpóreo-cinestésica, musical, interpessoal e intrapessoal.

> **Bons profissionais cumprem ordens, enquanto excelentes profissionais pensam pela empresa.**
> A. Cury, em
> *O código da inteligência*

Lembre-se de que a definição de inteligência para a Psicologia Multifocal envolve três grandes áreas de abrangência, duas inconscientes e uma consciente. As inteligências múltiplas atingem especialmente a terceira área. Em minha visão, elas são habilidades intelecto-emocionais.

Os códigos da inteligência são mais abrangentes, envolvem também as duas outras áreas que se operam inconscientemente: o processo de construção de pensamentos e o sistema de variáveis que atuam nesse processo. Decifrá-los e assimilá-los produz o desenvolvimento das inteligências múltiplas de Gardner, a inteligência emocional de Goleman, a busca de superação de Adler, as habilidades propostas por Piaget, Vigotsky e outros pensadores.

Deixe-me dar um exemplo sobre o desenvolvimento dessas habilidades. Onde estão nossos traumas? Em que área se encontram os dias mais frustrantes de nossa vida? Em que espaço de nosso inconsciente se encontram as pessoas que nos feriram injustamente? Onde estão alojadas nossas fobias e perdas no córtex cerebral?

Ninguém sabe, não há exames que detectem isso, até porque a área da ponta de uma caneta no córtex tem milhares de janelas e não temos consciência quais são killers, que contêm os traumas, e quais são saudáveis (lights) e em que nível estão entrelaçadas.

Você pode tentar deletar com toda sua habilidade as pessoas injustas da sua vida, mas não conseguirá. Poderá tentar apagar os traumas do seu passado para ser livre no presente, mas não terá êxito. Estudaremos que a possibilidade restante é reeditar o filme do inconsciente ou construir janelas paralelas saudáveis ao redor das traumáticas.

Entretanto, para reeditar o inconsciente e construir as janelas paralelas, o Eu precisa decifrar um importantíssimo código: o código de ser gestor da psique. Um Eu passivo, alienado, frágil, que não assume seu papel de líder da psique, perpetua suas mazelas e misérias, preserva suas fobias, inseguranças, humor depressivo, impulsividade.

Alguns afirmam categoricamente que Deus não existe sem nunca ter mapeado os confins do universo, sem nunca ter penetrado nas micropartículas de todos os átomos, sem nunca ter tomado as asas do tempo e percorrido o tempo indecifrável do passado. Se são tão limitados, mas fazem uma afirmação tão grande, são deuses. Só um deus tem tamanha convicção.

A. Cury, em
Os segredos do Pai Nosso

Um Eu gestor que aprende pouco a pouco a administrar a construção de pensamentos e emoções e a reeditar as zonas de conflito, expande suas habilidades, desenvolve sua inteligência emocional, sua inteligência interpessoal (como trabalhar com as pessoas, como motivá-las e, principalmente, como relacionar-se bem com os outros), sua inteligência intrapessoal (autocompreensão, autoconhecimento).

Algumas habilidades têm propensão genética, mas podem e devem ser trabalhadas ao longo do processo de formação da personalidade.

Os códigos não são fragmentados, mas interconectados de maneira íntima no teatro psíquico. Talvez não seja possível decifrá-los todos na plenitude, mas é possível assimilar a maioria deles de maneira significativa.

Quem os assimila, treina e incorpora em seu psiquismo desenvolve suas potencialidades psíquicas: a arte de pensar, a saúde psíquica, bem como uma mente arguta, empreendedora, aberta, flexível, que vê por vários ângulos e dá respostas inteligentes em situações tensas.

Fico feliz que já há faculdades de administração, pedagogia, de formação de professores e outras, muito interessadas em introduzir esses códigos na matriz da grade curricular, como temas transversais.

Gestão é fundamental

Começarei a descrever o Código do Eu como gestor do intelecto. Gastarei mais tempo para comentar os fenômenos psíquicos que o envolvem porque os usarei em todos os demais temas. O oitavo e último código aqui descrito será o Código do Eu como gestor da emoção.

Propositadamente, portanto, inicio abordando o gestor do intelecto e fecho comentando o gestor da emoção; abro com a gerência do universo lógico e fecho com a gerência do universo ilógico. No miolo, estudaremos os demais códigos que mesclam esses dois complexos universos.

Bons pais procuram dar o mundo exterior para seus filhos, pais brilhantes procuram dar seu próprio mundo para eles.
A. Cury, em
Pais brilhantes, professores fascinantes

Gestão é fundamental para que uma família, uma empresa, uma instituição, uma pessoa, sobreviva. Toda gestão tem etapas e processos que devem ser observados, cumpridos e melhorados.

Na gestão doméstica, cumpre-se com um orçamento, compra-se mobília, se supre de alimentos, organiza a roupa, faz-se a limpeza, poupa-se dinheiro. Na gestão de um carro, se propicia manutenção, abastece-se com combustível, dirige-se com cuidado, presta-se atenção a ruídos estranhos. Na gestão empresarial, se estabelece metas, se avalia custos, supre-se de materiais, realiza-se transações, melhora-se processos, faz-se a contabilidade.

Em todas as atividades humanas, a gestão é fundamental; sem uma gestão adequada, uma empresa vai à falência, uma família entra em decadência, uma pessoa entra em crise. Se no mundo exterior isso é válido, muito mais deveria ser na mente humana. Mas onde se discute que devemos ser gestores psíquicos? Onde se comenta que sem dar um choque de gestão em nossos pensamentos e emoções podemos ser vítimas e não diretores do *script* da peça intelectual? Raramente alguém toca nesse assunto. Infelizmente, tenho sido uma das vozes solitárias nessa seara.

Bons pais preparam seus filhos para os aplausos, pais brilhantes preparam seus filhos para os fracassos.
A. Cury, em
Pais brilhantes, professores fascinantes

Após escrever mais de três mil páginas sobre o funcionamento da mente e os processos de construção de pensamentos e de transformação da emoção, fiquei convicto de que nossa psique precisa de um choque de gestão, caso contrário temos grandes chances de bloquear funções psíquicas vitais. Podemos adoecer e fazer com que os outros adoeçam.

O grande gestor da psique

O Código do Eu como gestor da mente humana é o código que decifra como filtrar estímulos estressantes, fazer a higiene psíquica, reciclar pensamentos, reeditar o filme do inconsciente e construir janelas paralelas para superar nossos conflitos.

O "Eu" representa nossa autoconsciência, a consciência da essência humana (o que somos), da nossa identidade (quem somos), do nosso papel social (o que fazemos), da nossa localização no tempo e espaço (onde estamos). O Eu é alicerçado em bilhões de informações e experiências arquivadas nas matrizes do córtex cerebral, inclusive as construídas a partir da vida intra-uterina e nos primeiros estágios da infância.

Assim como o alicerce de um edifício o sustenta, embora ninguém o enxergue, a maioria das experiências existenciais que alicerçam o Eu não são lembradas conscientemente.

Fundamentado em seus alicerces históricos, o "Eu" como gestor psíquico deveria desenvolver os mais diversos níveis de habilidade para escolher amizades, objetos, ambientes, situações; tomar atitudes, reagir, calar, falar; traçar caminhos, sonhar, eleger alvos; atuar dentro de si, compreender-se, agir, recuar, modificar sua história, se acomodar.

> **Ninguém é digno das grandes vitórias se não aprendeu a agradecer as dramáticas derrotas.**
> **A. Cury, em *O mestre dos mestres***

Para Paulo Freire, educar é construir, é libertar o homem do determinismo para que faça suas escolhas, reconheça o papel da História e conheça sua dimensão individual (Freire, 2005). Na linguagem da Psicologia Multifocal, educar é acima de tudo formar o Eu como gestor da sua mente, como agente modificador da sua história e da história social. A formação do Eu é a base do processo de formação do processo de formação da personalidade.

Se o Eu for saudável, se decifrou os códigos da inteligência, se aprendeu, portanto, a ser o ator principal, a ter autocrítica, a debater idéias, a trabalhar suas adversidades, a personalidade será bem construída, organizada, estruturada. Se o Eu for conformista, coitadista, pessimista, controlado pelo medo e pelo humor depressivo, a personalidade já está comprometida. As armadilhas nas quais o Eu se envolve determinam o sucesso ou o comprometimento da formação da personalidade e suas habilidades.

Em minha opinião, todo ser humano adoece em alguma área da sua personalidade. Não conheço ninguém que tenha um Eu plenamente autoconsciente e consciente dos seus papéis como gestor do intelecto.

Para ser um gestor inteligente e eficiente do intelecto, deve-se aprender a trabalhar estas ferramentas:

1. Ter consciência da existência do "Eu", que representa a capacidade de escolha, autodeterminação e consciência crítica.
2. Treinar o Eu para administrar pensamentos, idéias, imagens mentais e fantasias.
3. Ter plena consciência de que não apenas a qualidade dos pensamentos no teatro psíquico pode comprometer a saúde psíquica — por exemplo os pensamentos perturbadores, pessimistas e mórbidos — mas também a quantidade de pensamentos é importante. Uma hiperconstrução de pensamentos, como preocupações, antecipação de situações do futuro, ruminação de experiências passadas, pode gerar a síndrome do pensamento acelerado, SPA.
4. A SPA compromete umasérie de códigos da inteligência, como o código da interiorização, concentração, observação, dedução, indução, bloqueando funções vitais do intelecto.
5. Dar um choque de gestão na psique usando a arte da dúvida para questionar tudo o que nos controla, todas as falsas crenças, dogmas doentios, verdades absolutas.
6. Dar um choque de gestão na psique usando a arte da crítica para reciclar cada idéia pessimista, cada imagem mental perturbadora.
7. Dar um choque de gestão para desacelerar os pensamentos, aliviar a SPA, e para estimular o Eu a deixar de ser um espectador passivo do teatro psíquico e assumir seu papel como ator principal desse teatro, como diretor do roteiro da peça existencial.
8. Produzir janelas paralelas na memória. Fazer a mesa redonda do "Eu" fora do foco de tensão, reunindo-se com os medos, angústias, fantasias, inseguranças, questionando suas causas e conseqüências.

9. Reeditar o filme do inconsciente. Fazer a mesa redonda do "Eu" dentro do foco de tensão, quando a janela killer estiver aberta, ou seja, no exato momento da crise, do ataque de pânico, da reação fóbica, do sentimento de perda.
10. Filtrar estímulos estressates usando os cinco procedimentos acima.

Os predadores se multiplicaram na atualidade

No passado longínquo, os seres humanos gastavam energia física para sobreviver, caçar, pescar, fugir de predadores ou de animais peçonhentos como cobras, escorpiões, aranhas. Hoje vivemos em sociedades sofisticadas. Aparentemente temos mais segurança e as necessidades humanas são muito mais facilmente atendidas, desde que se tenham recursos. Mas de fato somos mais protegidos do que nossos antepassados? Não! Há predadores na atualidade? Sim, muito mais. Há "animais peçonhentos" nas sociedades modernas: nas empresas, escolas, famílias? Sim, muito mais.

Não há céus sem tempestades, nem caminhos sem acidentes. Não tenha medo da vida, tenha medo de não vivê-la intensamente.
A. Cury, em
Filhos brilhantes, alunos fascinantes

Temos mais predadores que nos consomem e há mais venenos no ambiente em que trabalhamos e transitamos do que no passado. Mas o veneno e os predadores não estão freqüentemente fora de nós, tal como as pessoas que nos agridem, excluem, criticam injustamente. Os mais perigosos venenos e os mais agressivos predadores estão em nossa mente.

Cito alguns: preocupações existenciais, excesso de atividade mental, excesso de cobranças, inseguranças, sentimento de culpa, ansiedade, atenção exacerbada na opinião dos outros, expectativas não correspondidas, necessidade compulsiva de consumir o que não é necessário, preocupações que antecipam situações do futuro, pensamentos que ruminam experiências passadas.

O ser humano atual se preocupa em tudo que faz, com a segurança, mas é falsamente seguro. Temos fechaduras nas portas, janelas, carros, cofres, senhas no cartão de crédito, mas não temos proteção psíquica contra os ataques de dentro, contra os pensamentos controladores e em especial a hiperconstrução de pensamentos, a Síndrome do Pensamento Acelerado, SPA. Sinto dizer que nos sentimos mais ameaçados do que os seres humanos do passado, pois nossos inimigos se multiplicaram e se tornaram mais penetrantes.

> Pelo fato de o registro na memória humana ser automático e involuntário, as imagens das modelos magérrimas são arquivadas no inconsciente das mulheres sem lhes pedir permissão. Depois, centenas de imagens registradas geram um desastre psíquico, forma-se uma zona de conflito capaz de gerar autopunição e bloquear o prazer de viver.
>
> A. Cury, em
> *A ditadura da beleza*

Se pudéssemos voltar milhares de anos no tempo e analisar nossos ancestrais, encontraríamos homens sem vacinas, sem noção de higiene, sem garantias de que se alimentariam amanhã, sem cultura acadêmica, mas também homens que se preocupariam e se angustiariam muito menos. Havia entre eles menos depressão, pânico, transtornos ansiosos, suicídios.

Sim, eles eram mais agressivos, reativos, instintivos e sem noção de direitos humanos, portanto não são modelos de vida, mas no lugar mais secreto e mais importante para um ser humano, a nossa mente, eram menos perturbados.

Você pode ter vários inimigos na sociedade, mas saiba que seus piores e mais vorazes inimigos podem ser as idéias e imagens mentais produzidas clandestinamente em sua mente e não administradas pelo seu "Eu".

O desafio dos desafios: gerenciar a SPA

Ao contrário do que muitos profissionais de saúde mental pensam, não é apenas a qualidade dos pensamentos que gera o adoecimento psíquico e os mais diversos bloqueios da inteligência, mas também a quantidade exacerbada deles.

Pensar com lucidez e coerência é a principal tarefa do *Homo sapiens*, mas pensar demasiadamente é seu maior problema, gera um desgaste excessivo do seu córtex cerebral. Mesmo se não produzirmos pensamentos perturbadores, se construirmos pensamentos em uma velocidade exagerada, essa produção se tornará o maior vilão da qualidade de vida, gerará um desgaste intelectual exacerbado que roubará energia do córtex cerebral produzindo a Síndrome do Pensamento Acelerado, SPA.

Por produzir teoria sobre os fenômenos que constroem o fantástico mundo dos pensamentos, tive a felicidade de descobrir a SPA, mas o desprazer de saber que grande parte da população mundial nas sociedades atuais, das crianças aos idosos, é acometida por ela.

O excelente educador abraça quando todos rejeitam, anima quando todos condenam, aplaude os que jamais subiram no pódio, vibra com a coragem de disputar dos que nunca brilharam.
A. Cury, em
Maria, a maior educadora da História

Causas da SPA: 1) Excesso de informações: no passado, o número de informações dobrava-se a cada dois séculos, hoje dobra a cada cinco anos. 2) Excesso de estímulo visual e sonoro advindo da TV. 3) Excesso de estímulos provenientes dos computadores, internet, vídeo games. 4) Excesso de atividades e compromissos (curso de línguas, atualizações profissionais, cursos de computação, cursos livres). 5) Competição predatória, paranóia pelo sucesso a qualquer custo, compulsão por ser o número 1.

Sintomas da SPA: 1) Irritabilidade. 2) Flutuação emocional. 3) Inquietação. 4) Intolerância a contrariedades. 5) Déficit de concentração. 6) Esquecimento. 7) Fadiga excessiva. 8) Sono não reparador gerando cansaço ao despertar. 9) Sintomas psicossomáticos: dores de cabeça, dores musculares, queda de cabelo, gastrite e outros.

A SPA não é um estresse corriqueiro e temporário como muitos médicos pensam, é uma exacerbação da construção de pensamentos que gera ansiedade crônica e insatisfação prolongada.

Veja o desastre mental que nós causamos nas crianças e adolescentes na atualidade. O excesso de estímulo e informação é registrado na memória deles pelo fenômeno RAM (Registro Automático da Memória), gerando milhares de janelas disponíveis que são lidas por um outro fenômeno inconsciente, que chamo de Autofluxo.

> Todo ser humano passa por turbulências em sua vida. A alguns falta o pão na mesa; a outros, a alegria na alma. Uns lutam para sobreviver. Outros são ricos e abastados, mas mendigam o pão da tranqüilidade e da felicidade.
>
> A. Cury, em *Você é insubstituível*

Essas janelas não são killers, mas janelas normais da memória. O fenômeno do Autofluxo que deveria manter um "fluxo brando" de pensamentos e imagens mentais no teatro psíquico para gerar uma fonte de prazer e entretenimento para o *Homo sapiens*, como está superexcitado, lê rapidamente essas janelas, produzindo um fluxo de construção em uma velocidade nunca antes vista na geração mais nova de nossa espécie.

Por não conhecer esses mecanismos, ilustres cientistas da área de psicologia e pedagogia não percebem que cometemos um crime contra a mente da juventude, mexemos na caixa preta do funcionamento deles.

O excesso de estímulo produz, em última instância, um filme mental rapidíssimo. Imagine o estresse de assistir a um filme cujas cenas passam em uma velocidade maior do que o normal. O mesmo tem ocorrido com a mente humana.

O excesso de pensamentos, preocupações e idéias não apenas é uma fonte de inquietação, mas de insatisfação. Mas as pessoas sorriem. Sim, mas as emoções prazerosas não são estáveis nem profundas. Ansiedade e desprazer são cardápios comuns do ser humano moderno.

O último lugar em que os alunos querem estar: escola

O resultado da SPA não poderia ser pior. As crianças e os adolescentes são agitados, ansiosos, insatisfeitos, especialistas em reclamar, não têm paciência, querem tudo na hora, não curtem o ócio, se ficam dez minutos sem fazer nada, se estressam.

Grande parte desses sintomas é produzida *não* porque os educadores atuais *não* colocam limites nas crianças, como muitos pensam. As causas são muito mais profundas e muito mais graves, atingem a última fronteira da ciência, as raízes da construção de pensamentos, o inconsciente psíquico. Enfim, está ligada à SPA. Nada bloqueia tanto a gestão do intelecto como essa síndrome. O "Eu" de adultos e jovens se torna marionete, um joguete, da ansiedade gerada por ela.

O último lugar que a juventude de um modo geral quer estar é dentro da sala de aula. Por que os jovens não se concentram, têm conversas paralelas, se agitam em sala de aula? Por que são alienados, relapsos, não têm comprometimento social, não pensam no futuro? Novamente as causas, infelizmente, são mais graves. Devido à SPA, os jovens procuram novos estímulos para saciá-los como o ofegante procura o ar.

> Quando o homem explorar intensamente o pequeno átomo e o imenso espaço e disser que domina o mundo e conquistar as mais complexas tecnologias e disser que sabe tudo, então terá tempo para se voltar para dentro de si. Nesse momento, compreenderá que dominou o mundo de fora, mas não dominou o mundo de dentro, os imensos territórios da sua mente.
>
> A. Cury, em *Você é insubstituível*

As teorias belas e profundas como a de Piaget, Vigotsky, Paulo Freire, Morin, Gardner, pouco funcionam na atualidade devido à rica sintomatologia dessa síndrome. Por isso, tenho preconizado uma revolução no microcosmo da sala de aula da pré-escola à universidade para melhorar a concentração, aliviar a ansiedade e expandir o rendimento intelectual dos alunos (Cury, 2003).

Entre elas: 1) Música ambiente para aliviar a tensão. 2) Sentar-se em forma de "U" (olho no olho) para melhorar a concentração. 3) Usar a arte da dúvida continuamente durante a exposição para abrir as janelas da memória. 4) Humanizar o professor (contar sinteticamente capítulos de sua vida em alguns momentos semanais) para cruzar o mundo do mestre com o do aluno. 5) Humanizar o produtor de conhecimento (contar aventuras, ousadias, derrotas, êxitos, lágrimas, rejeições) para cruzar o mundo do pensador com o aluno e estimular a arte de pensar.

A SPA está em todos os lugares

As pessoas que têm um trabalho intelectual mais intenso, como médicos, psicólogos, jornalistas, executivos, professores, são mais atingidas pela SPA. Há médicos com dores de cabeça, dores musculares e uma fadiga tão grande que parece que carregam seu corpo de tão cansados que estão. Dou várias conferências para meus colegas médicos e fico impressionado, pois somos doentes cuidando de doentes.

Há professores com déficit de memória intenso. Porque não administram sua psique adequadamente, o cérebro deles bloqueia a memória para pensar menos e poupar mais energia. Estão muito esquecidos, mas querem que seus alunos se lembrem nas provas escolares. É um contra-senso. É preciso novas formas de avaliação, das quais destacarei algumas posteriormente.

Dos miseráveis aos abastados, todos procuram a felicidade como o ofegante procura o ar, como o sedento procura a água. Até um suicida tem sede de ser feliz, no fundo não quer se matar, mas matar a sua dor.
A. Cury, em
Treinando a emoção para ser feliz

Após dar uma palestra na região da Galícia na Espanha e discorrer sobre o funcionamento da mente humana e a síndrome SPA, a maioria das pessoas ficou consciente de que a possuía. Moravam em um lugar fascinante margeado por oceano e desenhado por montanhas, rota de Santiago de Compostela, mas a SPA é universal, não escolhe povo, cultura, religião ou região.

Dar um choque de gestão na mente humana para administrar a produção de pensamentos é condição básica e insubstituível para se ter saúde psíquica, tranqüilidade e saúde social.

O estilo de vida de quem tem SPA precisa de cirurgia e não de tratamento clínico. Quem não é capaz de fazer uma cirurgia em sua agenda terá sempre dificuldades para ser um bom gestor da sua psique.

É mais fácil dominar tigres do que a mente humana

Após assistir a um belíssimo espetáculo com tigres, conversei prolongadamente com o domador deles. Sua habilidade era tão grande que fazia os animais andarem sobre cordas. Um domínio incrível.

Contou-me que um grande domador olha nos olhos do animal e sabe pelo olhar suas possíveis reações, inclusive sua disposição para atacar. Dar as costas nunca. Disse-me ainda que pouco antes de nosso diálogo um tigre havia surpreendido seu domador, o atacou e o matou.

Diante de sua exposição perguntei se ele dominava sua mente como dominava seus tigres. Indaguei se tinha pensamentos perturbadores que o controlavam, se tinha preocupações que lhe furtavam a tranqüilidade, se tinha idéias negativas que promoviam sua ansiedade.

Honesto, disse que sim. E teve um insight. Entendeu que é mais fácil dominar tigres do que o intelecto. Acidentes com tigres podem ser raros, mas, como temos visto, não dentro de nós. Somos presas fáceis em nosso psiquismo.

Alguns se atormentam por imaginar que estão à beira de um ataque cardíaco, outros que estão com câncer e ainda outros que sofrerão acidentes. Estão ótimos de saúde física, mas péssimos de saúde psíquica.

> **Ser feliz não é um dom genético nem privilégio de uma casta social. Ser feliz é contemplar o belo, é fazer diariamente das pequenas coisas um espetáculo aos seus olhos. Quem não treinar sua emoção para contemplar o belo viverá uma vida miserável, ainda que seja socialmente invejado.**
>
> A. Cury, em
> *12 Semanas para mudar uma vida*

A mente humana é tão criativa que quando não tem problema, ela os cria. Atendi diversas pessoas encantadoras que viviam miseravelmente porque construíam em sua mente o velório de si mesmas. Imaginavam-se dentro de um caixão sendo velados pelos seus parentes e amigos.

Sentiam-se asfixiadas e com falta de ar. Viviam um terror silencioso. Não tinham coragem de se abrir com ninguém com medo de serem zombadas. Queriam escapar do controle dessas imagens, mas seu Eu não sabia ser um gestor psíquico, era passivo, vítima dos pensamentos produzidos inconscientemente pelo fenômeno do Autofluxo.

> Se compararmos a mente humana com o mais belo teatro, onde se encontra a maioria dos jovens e adultos? No palco dirigindo a peça ou na platéia como espectador passivo dos seus conflitos, perdas e culpas? Infelizmente somos preparados para ser platéia, e não líderes do nosso mundo psíquico.
>
> A. Cury, em
> *Seja líder de si mesmo*

Não pensem que entre esses encarcerados não há pessoas cultas. Há muitas de ilibada cultura, incluindo cientistas, que vivem um drama cálido e incomunicável. Remoem suas imagens mentais. Antecipam o futuro e ruminam o passado, mas não desfrutam o presente. Criam monstros sem o desejar, para se assombrar.

O estômago psíquico. Quem digere estímulos estressantes?

Somos treinados desde os primórdios da infância a fazer higiene corporal, a tomar banho, a escovar os dentes e a lavar as mãos, mas não aprendemos a minimamente descontaminar nossa psique, a fazer uma faxina em nossa mente, a reeditar a fonte inconsciente que emana idéias e preocupações angustiantes. Eis um paradoxo pernicioso!

Não apenas pessoas que não tiveram oportunidade de freqüentar uma universidade, mas médicos, juízes, promotores, psicólogos, executivos, educadores, que possuem notável saber acadêmico podem viver uma vida miserável se não aprenderem o código do Eu como gestor psíquico para filtrar estímulos estressantes. Seu ânimo, seu prazer, seu humor, sua disposição mental, flutuarão como barco sem leme e sem âncora em mar aberto.

O dinheiro não traz em si felicidade,
mas a sua falta a tira intensamente.
O estresse financeiro é uma das principais
causas de transtornos psíquicos na atualidade.
A. Cury, em
Inteligência multifocal

Apesar de no mundo ocidental e oriental não se ensinar sistematicamente a gestão psíquica, a humanidade, desde seus primórdios, fez tentativas para proteger a psique. Fizemos quatro tentativas empíricas baseadas em conselhos, em vivências, orientações espirituais, que foram passadas de pais para filhos, de uma geração para outra, mas que raramente funcionam. Parecem técnicas notórias, mas são superficiais.

Técnicas de higienização mental que não funcionam:

1. Tentar parar de pensar.
2. Tentar esquecer.
3. Tentar se distrair.
4. Tentar mudar de idéia.

Tente parar de pensar em um desafeto, em alguém que o machucou muito. Quanto mais tentar eliminá-lo, mais ele ocupará o centro da sua mente. Dormirá com você e atrapalhará seu sono, se alimentará com você e atrapalhará seu apetite.

Tente se distrair ou mudar de idéia quando tem um importante problema o incomodando. Você pode estar diante da TV, a bordo de um transatlântico, no meio da floresta Amazônica, mas provavelmente não se distrairá completamente. E se tiver êxito, será paliativo, temporário. Em breve o drama retornará. Casos simples podem ser aliviados com tentativas de distração, casos mais complexos, não.

Não é fácil gerir nossa mente. Se fosse fácil, raramente uma vingança se cristalizaria em um assassinato, pois a maioria dos vingadores tentou esquecer seu ofensor. Se fosse fácil, raramente um pai ou professor cometeria atos que comprometeriam a formação da personalidade dos seus filhos e alunos, pois a quase-totalidade deles tem a intenção de ser tolerante, paciente, promover a vida e não destruí-la.

Baseadas nessas quatro técnicas ineficientes, foram produzidas técnicas para controle mental, meditação e aconselhamentos. Todas essas tentativas, reitero, são boas, mas a mente humana é mais complexa do que imaginamos. Se fossem de altíssima eficácia, psicólogos e líderes espirituais não adoeceriam. Já tratei diversos deles.

É interessante que o homem mais famoso da história, Jesus, não espiritualizou certos fenômenos que eram psíquicos. Disse no famoso Sermão do Monte que se alguém tem um problema com uma pessoa, deveria deixar sua oferta e se entenderem. Um procedimento simples, mas repleto de significado. Para ele, questões psíquicas deveriam ser resolvidas na esfera psíquica, na esfera dos códigos da inteligência, através da serenidade, da capacidade de reconhecer erros, de se colocar no lugar do outro.

> Quem decifra o código da superação das intempéries da existência, ainda que perca a vitalidade física, preservará a psíquica; ainda que os aplausos cessem, a vida ainda será um show no anonimato.
>
> A. Cury, em
> *O código da inteligência*

Uma ciência só nasce em função das necessidades humanas. A psiquiatria e a psicologia nasceram porque o *Homo sapiens* adoece com facilidade justamente no terreno onde ele se torna *sapiens*, onde constrói o mundo das idéias e dos pensamentos.

O código que revela técnicas mais eficientes

Existem três grandes fontes de estímulos estressantes, a social, a psíquica e a orgânica, ligada à carga genética e a alterações do metabolismo cerebral, em especial dos neurotransmissores: serotonina, adrenalina, noradrenalina, acetilcolina. Não entrarei no campo orgânico ou neurocientífico, pois não é minha área de especialidade.

Tenho convicção que se aprendermos a filtrar os estímulos estressantes das duas primeiras fontes, melhoraremos muito nossa qualidade de vida, ainda que tenhamos uma carga genética propensa a desenvolver ansiedade e humor depressivo.

A fonte social de estresses é gigantesca; envolve perdas, ofensas, decepções, rejeições, abuso sexual, constrangimentos, pressões, competição predatória, ameaças, morte de pessoas queridas, doenças físicas. A fonte psíquica é mais gigantesca ainda, envolve fobias, humor depressivo, angústias, pensamentos mórbidos, pensamentos obsessivos, idéias perturbadoras, imagens mentais controladoras, fantasias doentias, crenças falsas, inseguranças, timidez.

> Uma pessoa é tanto mais rica emocionalmente quanto mais faz muito do pouco e tanto mais pobre quanto mais faz pouco do muito.
> A. Cury, em
> *O vendedor de sonhos*

A fonte externa provém especialmente dos conflitos gerados pelas relações humanas entre pais-filhos, professor-aluno, amigos-amigos, relações afetivas e entre colegas de trabalho. A fonte psíquica provém de duas grandes áreas: MUC (memória de uso contínuo ou centro consciente) e ME (memória existencial ou centro inconsciente).

Na MUC temos todas as experiências arquivadas conscientemente e utilizadas continuamente, por isso é o centro consciente. As zonas de conflitos arquivadas no MUC podem nos fazer ruminar pensamentos pessimistas, ciúme exacerbado, traumas não-superados.

Na ME temos milhões de experiências arquivadas desde os primórdios da existência, em especial desde a iniciação da vida fetal a partir do primeiro trimestre. Angústias, tristeza no entardecer, irritabilidade, timidez, impulsividade não claramente explicadas são emanadas das zonas de conflitos arquivadas na ME.

Para filtrar estímulos estressantes é necessário desenvolver uma capacidade psíquica de digeri-los. Assim como temos um estômago físico que digere os alimentos e, ao mesmo tempo, combate bactérias e outros microorganismos com seu suco gástrico, temos de desenvolver uma espécie de "estômago psíquico". O suco gástrico desse complexo estômago é a arte da dúvida e da crítica.

Sem a arte da dúvida e da crítica não é possível desenvolver o código do Eu como gestor do intelecto. A mente humana será um veículo sem direção, uma aeronave sem piloto. As crianças devem aprender a ineficiência das técnicas que citei, ao mesmo tempo em que devem aprender a atuar em seu psiquismo através da arte da dúvida e da crítica.

Quem tem medo das suas lágrimas nunca ensinará seus filhos a chorar. Quem tem medo das suas falhas nunca ensinará seus alunos a assumi-las.
A. Cury, em
O mestre do amor

Sem manipular a arte da dúvida como filtrarão o padrão tirânico de beleza imposto por setores da mídia? Devemos estar cientes que há cerca de 50 milhões de pessoas com anorexia nervosa nas sociedades modernas, morrendo de fome com alimentos sobre a mesa, pois não aprenderam a desenvolver esse filtro.

Lembro-me de uma jovem filha de um fazendeiro medindo cerca de 1,60 m de altura e pesando menos de trinta quilos. Se perguntasse a ela porque não comia, dizia enfaticamente que era porque estava obesa. Não ouvia mais ninguém, não acreditava em nenhum médico, psicólogo e psiquiatra.

Sob o enfoque dos direitos humanos, ninguém é obrigado a produzir prova contra si mesmo. Por isso, as pessoas têm o direito de se calar diante de autoridades. Mas as zonas de conflitos alojadas no inconsciente produzem provas contra nós mesmos.

Produzem preconceitos doentios, crenças irracionais e autodestrutivas. Essa jovem se via obesa, feia, horrível, embora fosse magérrima e tivesse risco de morrer por desnutrição. Não sabia que cada ser humano tem sua beleza em particular.

Era escrava dos estímulos que emanavam do seu psiquismo. Não os impugnava, não os geria. O trabalho terapêutico foi enorme. Para tratar seu transtorno não bastava dar medicamentos ou usar técnicas psicoterapêuticas. Isso ela havia feito sem sucesso. Tinha de aprender a dar um choque de gestão em seu intelecto.

Tenho críticas ao sistema cartesiano, que estabelece uma linha unifocal, fechada, lógica, matemática, de pensar. O código da adaptação às adversidades, da tolerância, da solidariedade, da sensibilidade, do amor, da intuição criativa, ultrapassam os limites da linearidade lógica.

Quem é legalista consigo e com os outros, quem interpreta a lei ao pé da letra e julga com rigidez seus comportamentos e os dos outros, não tem flexibilidade ou sensibilidade, pois desconsidera as circunstâncias, o ambiente social, o estado emocional e a intenção do agente. Professores, pais, magistrados, líderes políticos, que são legalistas, montesquianos, causarão injustiças dramáticas. Quem é estritamente lógico e rígido em sua maneira de pensar e julgar está apto para dormir, conviver e se relacionar com máquinas, mas não com seres humanos.

> Educamos muito mais pelo que somos do que pelo que falamos. Devemos educar sempre e, se necessário, usar as palavras.
>
> A. Cury, em *O código da inteligência*

Todavia, apesar de criticar o sistema cartesiano de pensar e interpretar a vida e seus eventos, tenho de aplaudir o uso da dúvida por Descartes como ferramenta intelectual. René Descartes preconizava a dúvida como meio de raciocínio. Afirmava: *cogito, ergo sum* (penso, logo existo) (Descartes, 1981). A psicologia multifocal extrai esse pensamento filosófico e estabelece que "duvidar significa pensar", "duvidar freia o excesso de subjetivismo, filtra as falsas crenças".

O excesso de subjetivismo pode nos fazer perder os parâmetros da realidade. Milhões de pessoas estão alimentando suas depressões, fobias, anorexias nervosas, bulimias, transtornos obsessivos, pelo excesso de subjetivismo.

Medicamentos antidepressivos e tranqüilizantes são importantes em um tratamento. Sim, quando necessário, mas eles não resolvem o excesso de subjetivismo, apenas o adormecem; não estruturam o Eu como gestor psíquico, apenas o silenciam.

O princípio da sabedoria na filosofia e na psicologia

O ser humano e as sociedades modernas em que está inserido precisam de dois grandes choques, um choque filosófico e um psicológico, um choque da arte da dúvida e um da arte da crítica. Sem esses dois choques não há como dar um choque de gestão na psique.

Comentei em outros livros que a dúvida é o princípio da sabedoria na filosofia. Diariamente, no silêncio de nossa mente, deveríamos duvidar de tudo que nos controla. Deveríamos gritar sem soltar a voz. Deveríamos protestar, questionar, argüir, inquirir e até se rebelar contra todos os estímulos de fora ou de dentro que nos aprisionam, imprimem dor desnecessária e geram instabilidade, desânimo, insegurança, insatisfação crônica. Mas onde se aprende a dar esse choque filosófico? É inacreditável como nos tornamos uma casta de pessoas passivas, submissas, frágeis, dentro de nós mesmos.

Quase todas as ditaduras foram derrubadas com revoluções, ainda que fosse a revolução das idéias, sem derramar uma gota de sangue. Do mesmo modo a ditadura dos pensamentos mórbidos, do humor depressivo, não se resolve sem a revolução do Eu, sem ter um Eu ativo que se rebela contra o cárcere psíquico, contra a armadilha do coitadismo, contra a masmorra do conformismo. Mas somos treinados a ser servos no único lugar em que deveríamos ser senhores.

> **As idéias são sementes. O maior favor que se pode fazer às sementes é sepultá-las.**
> A. Cury, em
> *O vendedor de sonhos II — A missão*

A crítica é o princípio da sabedoria na psicologia. Diariamente precisamos do choque psicológico no silêncio de nossa mente, criticando, analisando, ponderando, aferindo, impugnando, todos os estímulos sociais e psíquicos que nos controlam. É quase impossível sobreviver saudavelmente nessa sociedade agitada e consumista sem desenvolver o estômago psíquico saturado de enzimas da arte da dúvida e da crítica.

Duvidar e criticar são ferramentas fundamentais para sermos atores ou atrizes principais do teatro psíquico. Sem a arte da dúvida, como questionaremos nosso roteiro, nosso estilo de vida, nossas idéias tolas? Sem a arte da crítica, como confrontaremos a ditadura do pensamento acelerado? Como gerenciaremos nossa agressividade e necessidade neurótica de poder?

Através da arte da dúvida e da crítica todos os paradigmas irracionais, dogmas existenciais e pensamentos destruidores que compramos por preço de verdade passariam por um choque de gestão, seriam filtrados pelo Eu.

O choque de gestão psíquica é um processo longo, mas fascinante. É tanto um processo educacional quanto psicoterapêutico. Mesmo pessoas que têm depressão, obsessão, síndrome do pânico e outros transtornos que se arrastam durante anos, se aprenderem a decifrar o código da gestão do intelecto, se usarem diariamente a arte da dúvida e da crítica, poderão dar um salto na expansão de sua saúde psíquica.

Esse salto tem possibilidade de ocorrer independente do tratamento que estejam fazendo, se com psicotrópicos e/ou com psicoterapia, seja psicanalítica ou com cognitiva/comportamental.

O menino Jesus foi perseguido na infância. Na adolescência trabalhou com as ferramentas que um dia o matariam: madeira, martelo e pregos. Era de se esperar que sua personalidade fosse angustiada e ansiosa, mas para assombro da psiquiatria, ao abrir a sua boca ao mundo, jamais se viu alguém tão alegre e generoso. Ele fez poesia no caos.
A. Cury, em
O mestre dos mestres

Alguns fenômenos na base de nossa mente

Como dar um choque de gestão do intelecto, como fazer uma higiene psíquica se as pessoas, incluindo os intelectuais, não tiveram a oportunidade de conhecer o funcionamento básico da mente humana? Esse é um grande entrave.

Vivemos em uma sociedade tão asfixiante que raramente as pessoas têm tempo de se interiorizar e fazer perguntas básicas sobre o funcionamento da sua própria mente: quais são os fenômenos que constroem pensamentos? Os pensamentos que nos angustiaram e desapareceram do palco psíquico deixaram de nos influenciar ou foram depositados nos bastidores da mente? Como arquivamos as experiências na memória? O registro é inconsciente e automático? Os traumas podem ser deletados? Se não podem ser deletados, poderão ser reeditados? Mesmo nos cursos de psicologia essas perguntas fundamentais raramente são feitas.

Essas questões são tão básicas como aprender a comer e a andar, pois se referem à digestão psíquica e à caminhada existencial. Muitos nem ao menos sabem que se não usarem o filtro da arte da dúvida e da crítica nos primeiros cinco segundos em que os pensamentos negativos e as idéias mórbidas forem construídas, elas serão arquivadas e não poderão ser mais deletadas.

Os milionários quiseram comprar a felicidade com seu dinheiro, os políticos quiseram conquistá-la com seu poder, as celebridades quiseram seduzi-la com sua fama. Mas ela não se deixou achar. Balbuciando aos ouvidos de todos, disse: "Eu me escondo nas coisas simples e anônimas..."

A. Cury, em *Você é insubstituível*

Diariamente milhões de pessoas acumulam lixo psíquico sem saber e diariamente tentam deletar sua memória sem ter ciência de que é impossível apagá-la. Países cujas cidades acumulam lixos nas ruas e têm esgoto a céu aberto não têm cultura e higiene, mas em todos os países, em todas as classes sociais as pessoas acumulam lixo psíquico.

Por não conhecermos o processo de construção de pensamentos queremos reduzir a complexa memória humana a uma simples máquina computadorizada, onde se arquiva o que quiser e se deleta o que desejar.

Se pudéssemos deletar a memória, *quem* ou *o que* deletaríamos? Talvez perdas, falhas, vexames, sentimentos de culpa, medos, exclusões sofridas, colegas de trabalho insuportáveis, gerentes de bancos, filhos rebeldes, chefes injustos. Mas é impossível para o *Homo sapiens* atentar contra os arquivos da sua memória, eles estão superprotegidos, a não ser que haja um câncer cerebral, um trauma craniano gravíssimo ou uma degeneração no córtex.

Se tivéssemos o poder de deletar nossa memória, poderíamos cometer um suicídio psíquico, talvez deletaríamos a nós mesmos quando estivéssemos frustrados com nossas atitudes, reações, fracassos. Acabaríamos nos tornando um bebê sem qualquer consciência da existência, o que seria um desastre intelectual.

O filtro das janelas lights

Há pouco tempo, dei uma conferência para mais de seis mil pessoas, constituídas de educadores, psicólogos e outros profissionais sobre o fascinante mundo da mente humana. Entre os mais diversos assuntos que discorri, falei da formação de traumas nas relações humanas. Discorri sobre a traição.

> Os maiores enigmas do universo se encontram na mente de cada ser humano. Até quando somos complicados, dificultamos coisas e valorizamos o que não tem valor, refletimos nossa complexidade.
> A. Cury, em
> *O futuro da humanidade*

O leque das traições é amplo: traição sexual, financeira, segredos não guardados, nomes usurpados, injustiças, expectativas não correspondidas. Disse aos meus ouvintes que os "inimigos" não traem, apenas causam decepções. Só os amigos traem. Pedi com respeito que todos os que foram de alguma forma traídos levantassem as mãos. A grande maioria corajosamente levantou as mãos. Foram vítimas de áridos traumas. Tinham capítulos existenciais marcados por janelas killers, marcas em relevo na sua história. Muitos chafurdavam na lama da frustração, não podiam olhar na face de quem o traiu ou pensar no fato sem sentir grande desconforto.

O que fazer com essa fonte interior? Vimos que não dá para esquecer ou apagar. A possibilidade que nos resta é reeditar a memória ou construir janelas paralelas, como descrevi no livro *12 Semanas para mudar uma vida* (Cury, 2004).

Janelas paralelas são construídas com um autodiálogo, fazendo uma mesa redonda com nossas tolices, estupidez, medos, pensamentos débeis. Mas quem dialoga sistematicamente com seus conflitos? Quem se reúne com seus medos e discute seus fundamentos e sua coerência? Quem se reúne com suas mazelas e faz com elas um debate lúcido? Somos treinados para administrar o ambiente exterior, mas não a fazer uma mesa redonda usando o cardápio da arte da dúvida e da crítica para dar um choque de gestão em nossa mente, para construir janelas paralelas ao lado de janelas traumáticas. Por isso preservamos por décadas pequenos conflitos, que dirá os grandes.

> **Proteger a emoção passa por aprendermos a nos doar para os outros sem esperar demais a contrapartida do retorno. Se não tivermos grandes expectativas, tudo nos surpreenderá. Não se esqueça de que as maiores decepções são geradas pelos mais próximos.**
>
> A. Cury, em
> *Maria, a maior educadora da História*

Somos tão mutistas que achamos que é coisa de maluco falar consigo mesmo. Loucura é não admitir nossas "loucuras". Loucura é deixar de conversar francamente com nossas "loucuras". Quando os psicóticos falam consigo podem causar estranheza nos "pseudo-normais", mas estão exercendo um dos fenômenos saudáveis que lhes sobraram. Estão tentando conectar-se consigo mesmos, sair do cárcere da solidão, ainda que viajem em seus delírios e alucinações.

A mesa redonda do Eu não é uma técnica positivista, mas psicodinâmica, histórica, filosófica, existencial. Ela promove a formação de janelas lights, saudáveis, que contêm ousadia, autodeterminação, consciência crítica, segurança. Essas, por sua vez, se abrem simultaneamente quando uma janela traumática ou killer se abre, dando subsídios para sua superação.

Desse modo, o "Eu" deixa de ser marionete dos seus conflitos e exerce sua gestão psíquica. Se um motorista tem medo de dirigir um veículo porque se atormenta com imagens dos acidentes que poderá cometer, deverá se reunir com essas imagens, criticá-las, questioná-las; enfim, lhes dar um choque de lucidez intelectual. Então ele construirá janelas lights que se abrirão quando estiver com as mãos no volante. As imagens mentais dramáticas serão minimizadas, digeridas, por imagens mentais lúcidas e pensamentos racionais.

Crenças falsas

> Quem é mais inteligente não é quem tem mais cultura acadêmica, mas quem mais desenvolveu os códigos da inteligência, como pensar antes de reagir, gerenciar pensamentos, contemplar o belo, filtrar estímulos estressantes.
>
> A. Cury, em *O código da inteligência*

Nada pode controlar tanto um ser humano quanto as crenças falsas. Crenças falsas se traduzem das mais diversas maneiras: dogmas religiosos, crendices, superstições, preconceitos, paradigmas científicos, verdades irreais. Todos nós temos algumas crenças falsas, mesmo as pessoas racionais.

No mínimo 50% do potencial de um ser humano, seja ele um intelectual ou iletrado, professor ou aluno, é tolhido ou contraído pelas crenças falsas ao longo de suas vidas. As crenças geram temores ou euforia desproporcionais. No campo dos temores, as crenças geram medo de conquistar, de escrever, de debater, de sonhar, de ousar, de caminhar, de produzir. No campo da euforia, as crenças geram delírio de grandeza, necessidade doentia de poder, necessidade neurótica de estar sempre certo, orgulho, egocentrismo, auto-suficiência.

Muitos jovens têm crenças falsas que amordaçam sua inteligência. Acham-se incapazes de atingir seus sonhos, inábeis para superar suas limitações. Até pessoas invejadas culturalmente têm seus nichos intelectuais doentios.

Quem não critica o que crê não lapidará suas crenças, quem não lapida suas crenças será servo das suas verdades. E se suas verdades forem doentias, certamente será uma pessoa doente.

As crenças falsas estão na base das causas ou da perpetuação de muitos transtornos psíquicos. Toda vez que trato de pacientes com síndrome do pânico que passaram pelas mãos de vários psiquiatras e psicólogos, inclusive de excelentes profissionais, não apenas dou medicamentos e interpreto analiticamente seu passado, mas peço que façam diariamente a técnica da mesa redonda do Eu para debelar suas crenças falsas.

> O maior desafio de um ser humano é abrir o leque da sua memória nos focos de estresse para poder construir respostas inteligentes em situações em que muitos não conseguiriam pensar.
> A. Cury, em
> *A sabedoria nossa de cada dia*

Estimulo-os a fazer essa técnica fora do ambiente do consultório. É lá que suas crises aparecem e não no ambiente controlado dos consultórios. É lá que seu Eu tem de ser ativo, dinâmico, autodeterminado, autoconsciente, líder de si mesmo. Caso contrário, além de não resolver sua doença, ele corre o risco de ficar dependente do terapeuta. Todas as correntes psicoterapêuticas e psiquiátricas podem usar a técnica da mesa redonda do Eu com grandes benefícios.

Para mim, a psicoterapia não deveria ser apenas um processo de tratamento de doentes, mas também um processo de formação de pensadores. Os pacientes deveriam ter como alvo não apenas resolver sua doença, mas tornarem-se melhor do que eram antes de desencadeá-la. Tornarem-se mais generosos, criativos, altruístas, afetivos.

Explico-lhes o processo de construção de janelas paralelas e outros fenômenos que estão nos alicerces do funcionamento da mente. Encorajo-os a questionar, perguntar, confrontar suas crises, em especial as idéias que retroalimentam as crises de pânico, como as ligadas à morte, ao desmaio, à perda do controle de si, bem como às causas que a desencadeiam.

Eles, assim, saem da condição de espectadores passivos de sua doença e começam a desenvolver o espetáculo da arte da dúvida e da crítica: "Quem sou? O que sou? Quais os fundamentos do meu pânico? Por que dou mais crédito aos meus sintomas do que aos profissionais que me assistem? Por que me entrego? Como devo assumir meu papel de gestor psíquico?"

A mesa redonda implode a armadilha do conformismo. Deve ser feita antes, durante e depois das crises, mas especialmente antes e depois das crises, ou seja, quando as janelas killers estão fechadas; portanto, fora do momento da crise de pânico, das reações fóbicas, da timidez, da insegurança, das crises depressivas.

> Muitos querem os perfumes das flores, mas poucos se atrevem a sujar suas mãos para cultivá-las.
> A. Cury, em
> *O mestre do amor*

O objetivo fundamental é, como disse, construir zonas lights, janelas paralelas no psiquismo que darão suporte para que o Eu tenha serenidade em situações tensas, coerência em crises onde é difícil raciocinar. Essas janelas paralelas funcionarão como filtros do medo e das fantasias no momento das crises.

Nós, psicoterapeutas e psiquiatras, usamos diversas técnicas dependendo da teoria que abraçamos. Mas no fundo, se um paciente resolveu com sucesso seu conflito, é porque decifrou o código do Eu como gestor psíquico ou pelo menos construiu janelas paralelas ou reeditou as janelas traumáticas.

Estudar esses fenômenos nos faz entender por que o *Homo sapiens* é o "*Homo paradoxal*". Ao mesmo tempo em que faz guerras, discrimina e assassina, também cultiva flores, faz arte, chora pela dor dos outros. Pessoas que não têm janelas paralelas em quantidade e qualidade significativa podem, em um momento, serem delicadas e em outro violentas, em um momento serem seguras e em outro fragilíssimas.

Entristeço-me pelo fato de a psiquiatria e a psicologia nesses últimos cem anos terem investido enorme esforço no tratamento dos transtornos psíquicos, mas pouquíssimo em prevenção.

Como poderemos prevenir conflitos psíquicos e sociais se nosso Eu é um tímido gestor intelectual? Como podemos dar um choque de lucidez em nossas mentes se não usarmos a arte da dúvida e da crítica? Infelizmente nos tornamos especialistas em gerir o mundo em que estamos e não o mundo que somos. Tornamo-nos uma sociedade doente que forma pessoas doentes.

O filme do inconsciente

Vimos sobre a construção das janelas paralelas saudáveis fronteiriças às zonas de conflito, agora precisamos entender que a gestão psíquica também passa por reeditar as zonas de conflitos. Todo cineasta filma centenas de horas e depois as reedita para fazer um filme longa-metragem de duas horas ou mais. A reedição do filme do inconsciente não é cortar cenas e nem apagar imagens, mas inserir novos textos nos contextos, novas mensagens nas zonas de conflitos.

Todos fecham seus olhos quando morrem, mas nem todos enxergam quando estão vivos.
A. Cury, em
O futuro da humanidade

Enfatizo que toda vez que se fizer necessário um tratamento psiquiátrico ou psicoterapêutico, ele deve ser feito sem culpa ou medo. Infelizmente, devido ao seu custo financeiro, nem sempre esse tratamento é acessível.

Em primeiro lugar, após anos de experiência clínica, estou convicto de que não é possível reeditarmos todos os traumas e conflitos que estão nas milhares de janelas killers ou zonas de conflito do passado. É mais fácil do que imaginamos construir essas zonas. Basta saber que o arquivo de experiências é automático.

Diariamente arquivamos milhares de experiências saudáveis e, por vezes, doentias. Após o nascimento, esse processo se acelera. O desconforto do berço, a fome não saciada na hora certa, as cólicas intestinais, são fontes de estresses. Em muitos casos, não chegam a formar janelas killers com conflitos bloqueadores, mas são zonas de tensões que contêm traumas. Junto com a carga genética, a qualidade e quantidade dessas zonas de tensão definirão as características de personalidade, grau de timidez, segurança, prazer, irritabilidade, criatividade.

O córtex cerebral tem milhões de janelas com trilhões de experiências arquivadas desde a aurora da vida fetal. Não sabemos onde estão as janelas doentias nem quantas são. Só conseguimos detectar com nosso sistema sensorial comportamentos doentios e ainda assim com limitações.

Em segundo lugar, se não é possível reeditar todo o filme do inconsciente, devemos pelo menos reeditar as zonas de conflito que mais influenciam o adoecimento psíquico, as janelas killers que mais causam flutuação emocional, humor depressivo, angústias, fobias.

Para isso devemos agir no foco de tensão, no momento em que a janela killer está aberta, no epicentro da crise. Portanto, vejam que esse processo é diferente do da construção de janelas paralelas. No exato momento em que uma reação fóbica ou uma imagem mental destrutiva surgir a partir de zona de conflito aberta, o Eu deve rapidamente agir, criticar, argüir, examinar; enfim, bombardear com inteligência essa zona de conflito com os mesmos questionamentos que propus na mesa redonda do Eu.

> Há duas maneiras de fazer uma fogueira, uma com a madeira seca e outra com a semente. Os que preferem a madeira seca logo se aquecem e o frio retorna. Os que plantam sementes colhem uma floresta e nunca lhes faltará madeira para se aquecer.
>
> A. Cury, em *12 Semanas para mudar uma vida*

Desse modo, a mesa redonda realizada fora da crise constrói janelas paralelas e na crise reedita a janela doentia. O mais importante nesse processo é criar o que chamo de *plataforma de janelas saudáveis*. Essa plataforma deve ser suficientemente extensa para nos dar condições psíquicas e sociais para vivermos com dignidade.

Figurativamente falando, o inconsciente é como se fosse uma complexa metrópole, com inúmeros bairros, ruas, avenidas, praças. O inconsciente doente é como se fosse uma cidade com ruas esburacadas, mal iluminadas, com supermercados depredados, teatros vazios.

Aqui temos um grande ensinamento. Uma pessoa que sofreu abusos sexuais, privações, perdas, violências sociais, foi vítima de guerras, de ataques de terroristas, não precisa reurbanizar toda a cidade da sua psique para torná-la habitável. Caso contrário, a vida seria completamente injusta com ela, provavelmente nunca seria livre de todas as suas zonas traumáticas, nunca exerceria o seu direito de ser feliz, livre, tranqüila.

Com a reurbanização de um bairro importante já é possível sobreviver, ainda que em alguns momentos, freqüente bairros doentios e tenha algumas breves recaídas, como humor triste, ansiedade, temores. Ninguém precisa ser plenamente saudável em todas as áreas do seu inconsciente para ser alegre, lúcido, produtivo. Até porque não tem ninguém plenamente saudável, nem o mais ilustre dos psiquiatras. Notem que muitas pessoas são produtivas apesar de serem obsessivas, terem claustrofobia, serem inseguras.

A grande cidade psíquica não é perfeita, mas podemos construir bairros agradabilíssimos. Um executivo deve construir um bairro agradabilíssimo no meio da sua vida agitada, deve investir em seus sonhos; caso contrário, viverá miseravelmente.

Quando entramos em bairros psíquicos "depredados", quando recaímos, jamais deveríamos nos punir, desistir, ser controlados pela culpa e achar que o conflito retornou na sua plenitude. Por não conhecer o funcionamento da mente e o processo de formação de janelas paralelas além da reedição do inconsciente, as recaídas, por exemplo no uso de drogas, depressão, fobia social, ataques de pânico, tornam-se um desastre para pacientes e geram desespero em alguns terapeutas.

Quando Judas beijou Jesus, era de se esperar que este fosse controlado pelo ódio ou pelo medo, mas abriu as janelas da sua mente e perguntou: "Amigo, para que vieste?" Jamais uma pessoa traída tratou com tanta dignidade seu traidor! Não tinha medo de ser traído, mas de perder um amigo.

A. Cury, em
O mestre inesquecível

As recaídas deveriam ser encaradas como oportunidades preciosas para se reconstruir e não se punir, para reeditar zonas de conflitos que nunca foram reurbanizadas. Refiro-me a recaídas espontâneas, ocorridas com pessoas empenhadas em serem gestoras da sua psique, agentes modificadores da sua história.

Pane psíquica no avião

Há algumas semanas, um empresário bem-sucedido me procurou. É uma pessoa lúcida, empreendedora, generosa, mas sentia-se limitado porque desenvolveu pavor de voar. Há dois anos teve uma crise dentro de um Boeing. Sentiu que ia morrer: seu coração vibrou, seus pulmões ofegantes pareciam que não captavam mais ar. Foram os piores momentos de sua vida, na sua descrição.

> Quando Pedro negou Jesus pela terceira vez, os olhares deles se cruzaram. Ao negá-lo, Pedro proclamou altissonante que não o conhecia, mas ao olhá-lo, Jesus gritou sem voz: "eu o compreendo!" Nunca na história o silêncio foi tão eloqüente...
>
> A. Cury, em
> *O mestre do amor*

Chamou a aeromoça e a comissária de bordo, mas não se aliviou. Queria que o avião descesse, mas não havia como. Ficou mais de uma hora em desespero até que o avião pousou. Teve uma crise atípica de pânico. Nunca mais voou. Mas precisava voar para realizar seus negócios. Como vencer essa zona de conflito? Conseguia enfrentar tudo, menos a possibilidade de repetir seu drama.

Fez duas viagens a trabalho nas quais percorreu em cada uma mais de 4 mil km de carro, só para fugir do avião. Vários médicos e amigos tentaram ajudá-lo, mas não tiveram êxito. Um dia, visitando um amigo que tinha uma bela aeronave, recebeu a informação de que precisava retornar às pressas. O amigo o colocou dentro de seu avião. Quando os motores foram acionados, o "motor" da janela killer também foi, gerando um turbilhão emocional incontrolável. Não conseguiu voar.

Ao atendê-lo, expliquei como deveria decifrar o código da gestão psíquica do Eu, como fazer a mesa redonda e reeditar as matrizes do inconsciente. No mesmo dia, começou a dar um choque filosófico e psicológico em sua mente, usou a arte da dúvida e da crítica. Não tive mais tempo de atendê-lo, mas bastou uma consulta para que reescrevesse sua história.

Quinze dias depois, fez uma viagem internacional. E foi testado nesse vôo. Na ida, o avião teve uma pane. Teve uma pequena recaída, mas durou minutos. Aproveitou a oportunidade para reeditar as imagens e deixar de ser marionete dos fantasmas que se alojavam em seu inconsciente. Após a viagem, o atendi feliz, seguro; o encanto pela vida retornou. Está em processo de franca superação.

O grande paradoxo: higiene física *versus* higiene mental

As estatísticas psiquiátricas evidenciam que quanto mais passa o tempo, mais temos chances de desenvolver transtornos psíquicos. Ao contrário do que o senso comum pensa, o tempo em si mesmo não nos amadurece. O acúmulo de experiências dolorosas só nos amadurece se aprendermos a decifrar os códigos da inteligência.

Sem decifrá-los, a trajetória espontânea de um ser humano, em tese, é a seguinte: a criança será mais alegre e saudável do que quando for um adolescente, o adolescente será mais do que quando for um adulto e o adulto será mais do que quando for um idoso. Compare os níveis de alegria e espontaneidade que você tem hoje com os tempos ingênuos da sua infância.

Uma pessoa inteligente aprende com seus erros, uma pessoa sábia aprende com os erros dos outros.
A. Cury, em *Dez leis para ser feliz*

Notem que pequenos estímulos resgatavam nosso sorriso, as preocupações não nos controlavam, o mundo parecia um horizonte de prazer a ser descoberto. Hoje somos mais sérios, sisudos, insatisfeitos, complicados, exigentes. Talvez nem nossas conquistas nos excitem.

Se um sujeito não toma banho por alguns dias, seu odor o denuncia. Se não escova os dentes após algumas refeições, seu aroma bucal também o acusará. Mas se acumula material putrefato em seu psiquismo, quem perceberá? Nosso "olfato" psíquico não é treinado para perceber os traumas invisíveis, a não ser quando exacerbam os sintomas.

Há pessoas que estão à beira de um suicídio e ninguém imagina seu drama. Há outras angustiadas pelos seus sintomas psicossomáticos, mas os de fora freqüentemente não decifram o que a imagem não acusa. E o que é pior, atiram pedras sem compaixão.

Infelizmente alguns só entenderão o drama de um conflito psíquico quando penetrarem nos seus vales. São superficiais porque vivem em uma sociedade artificial, que não decifra e nem treina as funções mais importantes da inteligência.

Muitos casais se destroem porque nunca tiveram habilidade para decifrar as mágoas que não ganharam sonoridade. Muitos professores consideraram seus alunos insuportáveis, sem decifrar o drama escondido em seus comportamentos reprovados. Sem aprendermos a ser gestores da psique, bem como a decifrar o código do altruísmo, do carisma, da intuição criativa, da resiliência, seremos ávidos para nos punir e punir os outros. A existência poderá ser um jardim de pesadelos e não de aventuras.

O maior favor que se faz a um inimigo é odiá-lo. Ao odiá-lo ele será arquivado de maneira privilegiada em nossa psique. Desse modo dormirá conosco e perturbará nosso sono, comerá conosco e estragará nosso apetite.

A. Cury, em

12 Semanas para mudar uma vida

Possíveis conseqüências de quem decifra o Código do Eu como gestor do intelecto:

1. Preserva a saúde psíquica.
2. Torna-se cada vez mais tranqüilo e sereno ao longo do tempo.
3. Tem órbita própria, não gravita na órbita dos pensamentos e idéias perturbadoras e nem dos acidentes sociais.
4. Não é escravo do seu passado e nem do seu presente, em especial do que os outros pensam e falam sobre ele.
5. Valoriza sua qualidade de vida mais do que o ouro e a prata.

Possíveis conseqüências de quem não o decifra:

1. Propensão ao desenvolvimento de depressão e doenças ansiosas.
2. Propensão para desenvolver uma personalidade irritadiça, inquieta e cronicamente insatisfeita.
3. Sensação de estar por um fio devido aos sintomas psicossomáticos.
4. Dificuldade de se entregar e confiar nas pessoas, pois o medo de se decepcionar ou ser traído o controla.
5. Possibilidade de viver esses paradoxos: ser financeiramente rico mas psiquicamente miserável; ter cultura, mas ser um frágil gestor de si mesmo.

Decifrando o Código do Eu como gestor do intelecto: exercícios

1. Gastar pelo menos dez minutos passeando dentro de si mesmo ou alguns minutos várias vezes ao dia para fazer uma mesa redonda diária com os medos, ansiedades, preocupações, angústias, estilo de vida doentio.
2. Cada pensamento negativo deve ser confrontado pela arte da crítica e da dúvida no exato momento em que aparecem. Pensar, refletir, questionar e até impugnar e protestar contra

cada idéia perturbadora ou estímulo estressante que asfixia o prazer e a tranqüilidade.

3. Aprender a conservar o senso de espaço ou propriedade psíquica. Ninguém pode invadir esse espaço sem que você permita.
4. Sempre se perguntar quem sou, onde estou, o que sou, o que quero, qual meu papel enquanto ser humano e ser social.
5. Cuidar da psique como a mais importante empresa, a única que não pode falir.

Capítulo 11

Segundo código da inteligência: *Código da Autocrítica — pensar nas conseqüências dos comportamentos*

O Código da Autocrítica é o código de quem se auto-avalia, pondera seus atos, julga seus comportamentos, ajusta-se, autocorrige, reflete sobre suas reações, conjectura consigo mesmo.

É o código que nos faz sair da esfera do endeusamento para a esfera da humanidade. É a postura madura de quem analisa seu papel como ser humano, educador, consócio, profissional. Portanto, o Código da Autocrítica vai muito além de ter consciência superficial das próprias falhas. Até um psicopata tem essa consciência, mas não muda. É o segredo de quem pensa nas conseqüências do seu comportamento, de quem é fiel à sua consciência, e imprime energia para transformar suas rotas.

Quem decifra o Código da Autocrítica se localiza tempo-espacial-existencialmente e não apenas tempo-espacialmente que são os parâmetros da teoria da relatividade. Sabe que a vida é brevíssima para viver, mas longuíssima para cometer injustiças, tropeçar, falhar e desenvolver conflitos.

Muitos jovens em todas as sociedades estão banindo o Código da Autocrítica do seu dicionário existencial, não pensam antes de reagir, não pensam nos resultados dos seus atos. O nível de ansiedade impresso pela sociedade de consumo não tem propiciado clima para os jovens aprenderem a se interiorizar, expandir os níveis de autocrítica. Vivem porque estão vivendo, não se assombram com os mistérios que cercam o fenômeno da existência.

Casais apaixonados se destroem se não decifrarem a capacidade de pensar nas conseqüências de seus atos. Executivos abortam o trabalho em equipe e educadores comprometem a formação da personalidade dos filhos e alunos sem pensar no impacto psíquico de seus gestos. Pessoas brilhantes terão futuro sem brilho por viver sem pensar nos seus atos.

Nossos comportamentos são sementes. As sementes são diminutas, frágeis, mas poderão ter inúmeras decorrências, sejam imediatas ou futuras. Pensar nas conseqüências dos comportamentos é a base para construirmos um futuro saudável alicerçado em um presente saudável.

Quem almeja decifrar o Código da Autocrítica tem de levar em consideração essas observações:

1. Quem gasta compulsivamente no presente poderá se angustiar no futuro.
2. Quem acha que o seu sucesso é eterno poderá se deprimir ao descobrir que o sucesso é mais efêmero, passageiro, do que se imagina.
3. Quem se atola de atividades achando que sua saúde é de ferro poderá surpreender-se quando seu corpo entrar em colapso.
4. Quem leva seus estudos na brincadeira se surpreenderá ao descobrir que perdeu os melhores anos para se preparar para uma sociedade que exclui os que brincam com a vida.
5. Quem acha que o amor dura para sempre e não se preocupa em cultivá-lo poderá se assustar quando seu parceiro perder o encanto e pedir o divórcio.

Palavras baixas que repercutem alto

Nós influenciamos muito mais pelo que expressamos espontaneamente do que pelo que falamos diretivamente. Não temos consciência de que temos a mais excelente máquina de fotografar em nossa mente: o fenômeno RAM, Registro Automático da Memória. Esse fenômeno fotografa centenas de reações espontâneas que transmitimos. E arquiva em destaque tudo que tem grande volume emocional.

> **A maior vingança contra um inimigo é perdoá-lo. Quando o perdoamos, ele morre dentro de nós e deixa de nos perturbar.**
> **A. Cury, em**
> ***12 Semanas para mudar uma vida***

Por que reproduzimos na vida adulta os comportamentos que mais desaprovamos de nossos pais em nossa infância? Porque os arquivamos contínua e prolongadamente. Como não aprendemos a desenvolver um filtro psíquico, construímos inúmeras janelas doentias que teceram a colcha de retalhos de nossa personalidade.

A maneira como enfrentamos dificuldades, suportamos perdas, lidamos com contrariedades, reagimos à vida, são fotografadas pelas pessoas que nos rodeiam, principalmente as crianças ou adolescentes.

Quem pensa nas conseqüências dos seus gestos sabe que as pessoas nos respeitam muito mais pela imagem que construímos dentro delas do que pelas palavras que proferimos fora delas. A imagem psíquica determina o grau de admiração, que, por sua vez, determina o impacto dos nossos atos.

O grau de admiração dá o tom do eco psíquico. Um pai com uma excelente representação poderá falar baixo com seu filho, mas o eco será grande. Será ouvido. Um pai com uma representação ruim, que não é admirado por ele, poderá gritar, mas seu eco será pequeno. Sua atitude gerará uma invasão de privacidade, que inquietará, incomodará, não educará.

Decifrar o código e sua estratégia

"Meu filho não me ama, doutor. Sinto que sou uma conta bancária para ele. Se fosse pobre, seria abandonado, não teria nenhum valor para ele." Quantos pais não têm esse pensamento em relação aos filhos? Ser explorado pelos de fora é difícil de suportar, mas pelos de dentro é quase insuportável. Freqüentemente, os filhos não são culpados por esses comportamentos doentios, nem os pais deveriam ir a caça às bruxas e culpar um ao outro. Uma pessoa que decifra o Código da Autocrítica não lamenta o passado, procura construir seu futuro.

> **O ser humano moderno se tornou um gigante na ciência, mas é um frágil menino em sua psique. Não sabe navegar nas águas da emoção, nem percorrer as avenidas mais íntimas de sua própria personalidade.**
> **A. Cury, em *Você é insubstituível***

Não é fácil refazer uma imagem nos solos do inconsciente, em especial quando já está distorcida. Mas é possível. É necessário usar estratégias para provocar o fenômeno RAM. Nas relações entre casais e entre colegas de trabalho, o mesmo princípio se aplica.

Nessa estratégia, velhos comportamentos precisam ser reciclados. Uma pessoa só se torna grande se ela se faz pequena para se tornar grande dentro de quem ama. Jamais peça para alguém amá-lo. Jamais peça para alguém admirá-lo. Amor, admiração, bem como respeito, são construídos sem pressão, no solo insubstituível da liberdade. São frutos de imagens construídas nas janelas mais íntimas do inconsciente.

Pedir e suplicar são técnicas humilhantes que só funcionam por cinco minutos. O amor e a admiração só têm profundidade se forem espontâneos, caso contrário produziremos servos e não pessoas livres para decidir.

O Código da Autocrítica nos faz construir estratégias para decifrarmos o código do amor e da admiração. Quem quer decifrá-lo deve aplicar estas ferramentas:

1. Elogie sempre antes de criticar ou apontar um erro. Primeiro conquiste o território da emoção depois o da razão.
2. Tenha reações generosas e surpreendentes.
3. Fale menos e aja mais. Economize argumentos.
4. Humanize-se. Revele capítulos de sua vida. Conte suas lágrimas, seus dias mais difíceis, suas aventuras.
5. Descubra quem você ama. Interesse-se pelos seus interesses, pergunte sobre as dificuldades, mostre preocupação com ele ou ela.
6. Se tiver a necessidade de ser perfeito, de se defender compulsivamente e estar sempre certo, recicle-se, pois ela destrói relacionamentos. Você pode ganhar o debate, mas perderá quem ama.

Estou convicto de que a maioria das correções que fazemos não educam nossos filhos, alunos, cônjuge, amigos; geram invasão de privacidade e não amadurecimento. Nossas atitudes pioram nossa imagem na mente do outro quando não pensamos nos impactos de nossos atos.

> Os membros da família moderna tornaram-se freqüentemente um grupo de estranhos, tão próximos fisicamente, mas tão distantes interiormente.
>
> A. Cury, em *Pais brilhantes, professores fascinantes*

Há brilhantes psiquiatras, psicólogos, advogados, médicos, executivos, mas seus filhos não os admiram. Querem impor o respeito com pressões, sermões, advertências e cansativos conselhos. Não entendem que o fenômeno RAM está construindo em seus filhos uma imagem destituída de admiração.

O medo saudável

O Código da Autocrítica não enxota todos os tipos de medo, pois sabe que há medos imprescindíveis. Parece estranho dizer que há um medo saudável no teatro psíquico, mas ele existe e se faz necessário para preservar a vida. Não tê-lo é o melhor caminho para ser autodestrutivo.

O medo, como pincelei, só se torna uma fobia ou transtorno psíquico quando a reação de fobia é desproporcional ao objeto fóbico.

Uma pessoa que tem cultura e competência intelectual para expressar suas idéias, mas bloqueia sua coerência e lucidez quando está diante de uma platéia acolhedora, tem uma reação desproporcional ao grau de ameaça do objeto aversivo, no caso o ambiente. Portanto, tem um transtorno psíquico chamado de fobia social.

Uma mulher que diante de um inseto dá um escândalo, perde seu autocontrole, tem uma reação superdimensionada em relação ao grau de ameaça do objeto fóbico, tem, portanto, um transtorno chamado de fobia simples.

Uma pessoa que tem pavor de altura, não pode se aproximar da sacada de um prédio que entra em crise, tem taquicardia, agitação emocional, sensação de atração fatal pelo espaço vazio, tem também um transtorno chamado de acrofobia.

Do mesmo modo pessoas que têm medo asfixiante de situações novas, desafios futuros, provas escolares, elevadores, voar, dirigir, andar por lugares movimentados, contaminar-se com cédulas de dinheiro, também tem transtornos fóbicos. Todas essas reações são desproporcionais ao grau de ameaça dos objetos que tem medo. O grau de ameaça é produzido por traumas arquivados nas zonas de conflitos e não pelo objeto concreto.

> Falamos com o mundo via internet, mas temos grandes dificuldades de falar conosco mesmos. Dominamos tecnologia para viajar para os planetas, mas não tecnologia para conquistar os espaços onde nascem a timidez, a ansiedade, o medo, as frustrações.
>
> A. Cury, em *Seja líder de si mesmo*

A maioria das fobias não causa limitações significativas ao seu portador, porque só são desencadeadas quando estão diante do estímulo estressante. O objeto fóbico detona um gatilho inconsciente que abre uma zona de conflito, fazendo com que os fantasmas arquivados no inconsciente (morte, ferimentos, ameaças) se encenem na mente humana. Fora do lócus dos objetos fóbicos, essas pessoas podem ser serenas, afetivas e lúcidas.

Excetuando casos fóbicos como esses, os medos são freqüentemente saudáveis e imprescindíveis. Neste caso não se produz uma reação desproporcional ao objeto do medo. É um medo que freqüentemente é fruto da capacidade de pensar nas conseqüências dos comportamentos.

Se uma pessoa tem medo de dirigir em altíssima velocidade pelo risco de sofrer acidente, ficar paralítica ou morrer, seu medo é saudável, não é superdimensionado, a não ser que o impeça de dirigir. Não ter tal medo é ser autodestrutivo. Milhares de vidas seriam preservadas se o medo instintivo não tivesse sido esfacelado na juventude, inclusive o medo de ser dependente de uma droga.

Por trás de uma pessoa que fere há uma pessoa ferida. Ninguém nos machuca se primeiramente não foi machucado pela vida. A tolerância nasce no solo desse pensamento.
A. Cury, em
Superando o cárcere da emoção

Se uma pessoa sabe que o sucesso financeiro ou artístico pode levá-la a se esquecer de suas origens, e, se um dia atingir tal sucesso, e tiver medo de se endeusar, de perder sua simplicidade, bem como o valor das coisas pequenas, seu medo é saudável. Se as celebridades políticas e artísticas tivessem medo de perder suas origens, teríamos mais seres humanos e menos deuses, mais júbilo e menos humor depressivo.

Medo de perder o emprego, os amigos, seu parceiro ou parceira, de não realizar seus projetos, podem ser saudáveis, gerar reflexões, mudanças de estilo de vida, desde que não sejam intensos e nem bloqueiem a liberdade de ser, pensar e agir.

O instinto do medo que promove o prolongamento e a qualidade de vida é fundamental para os mortais. Jovens e adultos cronicamente insatisfeitos e ansiosos colocam sua vida em ricos com facilidade para ter migalhas de prazer. Sem esse medo, os atos terroristas se multiplicam, as idéias se tornam mais importantes que a vida, a religião e a ideologia se tornam mais significativas que a existência.

Pensar antes de reagir

Pensar antes de reagir é uma das ferramentas mais nobres de quem decifra os mais altos níveis do código da autocrítica. Nos primeiros trinta segundos de tensão, cometemos os maiores erros de nossa vida, falamos palavras e temos gestos diante das pessoas que amamos que jamais deveríamos expressar.

Nesse rápido intervalo de tempo, somos controlados pelas zonas de conflitos que bloqueiam milhares de outras janelas, impedindo o acesso de informações que nos subsidiariam a serenidade, a coerência intelectual, o raciocínio crítico.

> Todos temos uma criança alegre, curiosa, vivaz, dentro de nós, mas poucos a deixam respirar. Envelhecemos rapidamente no único lugar em que deveríamos sempre ser jovens.
>
> A. Cury, em *Revolucione sua qualidade de vida*

Um intelectual pode dar uma conferência brilhante e responder a todas as perguntas da platéia com maestria, mas quando um colega de trabalho faz uma pergunta que o contraria, pode perder a serenidade da resposta. Reagir sem elegância.

Um médico pode ser muito paciente com as queixas de seus pacientes, mas muitíssimo impaciente com as reclamações de seus filhos. Pensa antes de reagir diante de estranhos, mas não diante de quem ama. Não sabe fazer a oração dos sábios nos focos de tensão, o silêncio. Só o silêncio preserva a sabedoria quando somos ameaçados, criticados, injustiçados.

Se vivermos debaixo da ditadura da resposta, da necessidade compulsiva de reagir quando pressionados, cometeremos erros, alguns muito graves. Vivemos em uma sociedade barulhenta, que freqüentemente detesta o silêncio. Cada vez mais percebo que as pessoas estão perdendo o prazer de silenciar, se interiorizar, refletir, meditar.

O dito popular de contar até dez antes de reagir é imaturo, não funciona. O que estou propondo é o silêncio filosófico. O silêncio não é se agüentar para não explodir, o silêncio é o respeito pela própria inteligência. É o respeito pela própria liberdade, a liberdade de se obrigar a reagir em situações estressantes. Quem faz a oração dos sábios não é escravo do binômio do bateu-levou.

Quem bate no peito e diz que não leva desaforo para casa, não decifrou o código de pensar nas conseqüências de seus atos. Quem se orgulha que vomita para fora tudo o que pensa, machuca quem mais deveria ser amado. Não decifrou a linguagem do autocontrole.

Não existem relações perfeitas. Não existem almas gêmeas, que tenham os mesmos gostos, pensamentos e opiniões iguais o tempo todo, a não ser no cinema. Decepções fazem parte do cardápio das melhores relações. Nesse cardápio, precisamos do tempero do silêncio para preparar o molho da tolerância.

> Devemos pensar como adultos e sentir como criança. Quem inverte esses valores nunca atinge a maturidade.
>
> A. Cury, em
> *Treinando a emoção para ser feliz*

Para conviver com máquinas, não precisamos do silêncio nem da tolerância, mas com seres humanos elas são fundamentais. Ambas são frutos nobres do código da autocrítica, do código da capacidade de pensar antes de reagir. Preservam a saúde psíquica, a consciência, a tranqüilidade.

O silêncio e a tolerância são o vinho dos fortes, a reação impulsiva é a embriaguez dos fracos. O silêncio e a tolerância são as armas de quem pensa, a reação instintiva é a arma de quem não pensa. É muito melhor ser lento no pensar do que rápido em machucar.

É preferível conviver com uma pessoa simples, sem cultura acadêmica, mas tolerante, do que com um ser humano de ilibada cultura saturada de radicalismo, egocentrismo, estrelismo. Sabedoria e autocrítica não se aprende nos bancos de uma escola, mas no traçado da existência.

Possíveis conseqüências de quem decifra o Código da Autocrítica ou pensa nas conseqüências dos seus comportamentos:

1. Torna-se uma pessoa admirável, agradável, serena, ponderada.
2. Expande os níveis de paciência e tranqüilidade.
3. Contribui para formar pessoas com personalidade saudável e íntimas da arte de pensar.
4. Cria uma rede de relacionamentos com as pessoas próximas.
5. Transita com suavidade nas relações sociais turbulentas.

Possíveis conseqüências de quem não o decifra:

1. Desenvolve irritabilidade, inquietação, baixo limiar de suportabilidade aos estresses.
2. Diminui os níveis de solidariedade, compaixão, generosidade.
3. Desenvolve impulsividade, reatividade exacerbada, descontrole diante de pequenos estímulos.
4. Fere quem mais ama com freqüência, influencia negativamente o processo de formação da personalidade.
5. Compra comportamentos estúpidos dos outros e paga caro por eles. Atitude ingênua perante a vida.

Decifrando o Código da Autocrítica: exercícios

1. Praticar o Stop Introspectivo: pare e pense antes de reagir. Ser sempre fiel a sua consciência.
2. Praticar a oração dos sábios: o silêncio. Não se submeter à ditadura da resposta e nem ter a necessidade neurótica de reagir.
3. Não viver em função do binômio estímulo-resposta ou da atitude bateu-levou. Saber que esse instinto é animalesco e destrutivo.
4. Não ser escravo do que os outros pensam e falam de si.
5. Humanizar-se nas relações sociais. Não conquistar o temor, mas o amor e a admiração das pessoas próximas. Provocar estrategicamente o fenômeno RAM com imagens surpreendentes.

Capítulo 12

Terceiro código da inteligência: *Código da Psicoadaptação ou da Resiliência — capacidade de sobreviver às intempéries da existência*

Resiliência é a capacidade de um material de suportar tensões, pressões, intempéries, adversidades. É a capacidade de se esticar, assumir formas e contornos para manter sua integridade, preservar sua anatomia, manter sua essência.

Transportado para a psicologia, resiliência é freqüentemente atribuída a processos que explicam a "superação" de crises e adversidades em indivíduos, grupos e organizações (Yunes & Szymanski, 2001: Tavares, 2001). É um conceito relativamente novo no campo da psicologia e que tem sido debatido com vigor e freqüência pela comunidade científica.

Na Psicologia Multifocal, que tem base analítica e cognitiva, ultrapassando, portanto, os limites da psicologia positiva, adotei o termo devido a sua magnitude. Entre os códigos mais notáveis da inteligência está o da psicoadaptação, que reflete a capacidade de suportar dor, transcender obstáculos, administrar conflitos, contornar entraves, se adaptar às mudanças psicossociais.

O fenômeno da psicoadaptação gera o Código da Resiliência. Tenho estudado e escrito sobre o fenômeno da psicoadaptação há mais de vinte anos, enquanto que o termo resiliência começou a ser adotado sistematicamente dez anos depois, a partir de 1998. O grau de resiliência depende, portanto, do grau de adaptabilidade e superabilidade de um ser humano aos eventos adversos que encontra em seu traçado existencial, em sua jornada de vida.

Uma pessoa que tem baixo grau de resiliência suporta inadequadamente suas adversidades e crises, podendo desencadear depressão, pânico, ansiedade, sintomas psicossomáticos. Quando o Código da Resiliência é inadequadamente decifrado e desenvolvido, as dores e perdas podem levar ao suicídio. Há o suicídio imaginário (desejo de sumir, desejo de dormir e não acordar mais), o suicídio físico e o suicídio psíquico, refletido pelo alcoolismo, dependência de outras drogas, comportamentos autodestrutivos, auto-abandono.

Sem sombra de dúvida há "crises" e "crises". Algumas são dramáticas, imprimem dor indizível. Mas em todas elas se pode aplicar o Código da Resiliência, que, por sua vez, está estreitamente ligado ao código da gestão do intelecto, em especial à gestão de pensamentos mórbidos, a construção de janelas paralelas e a reedição do inconsciente.

Um choque de gestão do intelecto capaz de esfacelar o pessimismo e irrigar de esperança os horizontes da vida é fundamental para alicerçar habilidades psíquicas para suportar tensões emocionais, pressões sociais, adversidades profissionais.

Hiperatividade, ansiedade e SPA

A capacidade de se adaptar e superar os eventos da vida dependem fundamentalmente de aprendizado e menos da carga genética. O aprendizado pode ser espontâneo ou promovido pela educação, algo muito difícil nessa sociedade superficial que somente nos prepara para o sucesso.

Apesar de esse código ser decifrado pelo aprendizado, uma pessoa geneticamente hiperativa, ansiosa, irritadiça, pode ter mais dificuldade de se psicoadaptar às adversidades do que outras.

Do mesmo modo, uma pessoa com a SPA, Síndrome do Pensamento Acelerado, tem mais dificuldade de elaborar suas perdas, administrar suas decepções, refletir sobre suas falhas. Notem que as crianças agitadas repetem os mesmos erros com freqüência. Mas jamais podemos nos esquecer que os hiperativos, os ansiosos, os portadores da SPA, se desenvolverem os códigos da inteligência, poderão desenvolver grandes habilidades resilientes.

O grande problema é que o sistema educacional é falho e superficial. Escolas do mundo todo ensinam as crianças e jovens a estudar o imenso espaço que nunca pisarão, mas não os terrenos das perdas, das crises, dos desafios e das contrariedades existenciais. Mesmo as pessoas que mais nos amam podem contrair e não expandir nossas habilidades resilientes.

> A proximidade do caos da morte transforma ditadores em crianças, psicopatas em meninos, reis em frágeis seres. A morte nos humaniza mais que a vida.
>
> A. Cury, em *O código da inteligência*

Quando era criança, com cinco anos, eu tinha um pássaro exótico. Infelizmente, ele morreu. Minha mãe, querendo me tornar responsável, disse que o pássaro morreu de fome por culpa minha. Sua reação me fez desenvolver uma janela killer. Lia e relia continuamente essa janela. Chorei muitas vezes sem ninguém ver. Sofri como se estivesse sentindo a fome do pássaro. Pequenos fatos em nossa história podem ter grandes conseqüências, gerar um corpo de janelas na memória pelos quais vemos a vida e reagimos aos estímulos; enfim, delinear características de personalidade.

A falta de sentimento de culpa gera psicopatas, seres humanos insensíveis, enquanto a presença excessiva gera hipersensibilidade. Como veremos em outro código, a hipersensibilidade causa inúmeros transtornos, entre eles a escassez de proteção emocional. As perdas podem causar grandes impactos. Tive de decifrar o Código do Eu como gestor da emoção e trabalhar minha hipersensibilidade para ser resiliente, para poder sobreviver em uma existência belíssima e turbulenta.

O fenômeno da psicoadaptação deve ser lapidado

Alguns estudiosos reconhecem a resiliência como um fenômeno comum e presente no desenvolvimento de qualquer ser humano (Masten, 2001). De fato, todos têm o fenômeno da psicoadaptação em seu psiquismo.

Sem esse fenômeno uma mãe jamais suportaria a perda de um filho, uma criança não sobreviveria às violências sofridas em sua infância, um adulto não sobreviveria aos vexames, humilhações sociais, perdas de emprego, crises financeiras.

> Um dia, quando encerrar a peça da existência no pequeno palco de um túmulo diante de uma platéia em lágrimas, não quero que digam que ali jaz um homem famoso ou inteligente, mas um ser humano que aprendeu um pouco a vender sonhos para uma sociedade que deixou de sonhar.
>
> A. Cury, em *O vendedor de sonhos*

Porém, essa é apenas parte da história. Não basta possuir o fenômeno da psicoadaptação. Se quisermos ser resilientes, "elásticos", "flexíveis" e "resistentes" diante dos estímulos estressantes, precisamos decifrar, educar, enriquecer o fenômeno da psicoadaptação.

A dor, as derrotas, as lágrimas, devem ser sempre evitadas, mas ninguém vive continuamente em céu de brigadeiro. Como turbulências são inevitáveis até em dias de céu claro deveríamos usá-las para expandir nossa maturidade resiliente. Como?

Para decifrarmos e vivenciarmos o Código da Resiliência precisamos aprender que:

1. Ninguém é digno do pódio se não usar os fracassos para alcançá-lo.
2. Ninguém é digno da maturidade se não usar suas incoerências para produzi-la.
3. Ninguém é digno da saúde psíquica se não usar suas crises, angústias, fobias, humor depressivo, para destilá-la.
4. Nenhum ser humano ou nenhuma empresa ou instituição será digna do sucesso se desprezar suas derrotas, vexames, percalços, acidentes de percurso.

5. Dar as costas para as adversidades é a pior maneira para superá-las.
6. Fazer a mesa redonda do Eu para reunir nossos pedaços, manter nossa integridade, debater com nosso desespero, questionar nosso pessimismo, estabelecer estratégias de superação.
7. Uma pessoa determinada, que não desiste de seus sonhos, que não abre mão de ser feliz, apesar do seu caos, tem muito mais chance de usar seu caos como oportunidade criativa. Alguns aspectos da teimosia não são saudáveis, mas não há dúvida de que uma pessoa resiliente tem boas doses de teimosia.

Antes de ser publicado em dezenas de países, ser membro de honra de uma academia de gênios, ser patrono de universidade, ter textos usados como referência em teses de pós-graduação, tive de encarar minha estupidez, reconhecer minha ignorância, lidar com rejeições e descréditos, enfrentar minhas derrotas.

> A vida é tão breve como as gotas de orvalho que cintilam na mais bela manhã e se dissipam aos primeiros raios do tempo.
> A. Cury, em *Revolucione sua qualidade de vida*

Lembro-me de que certa vez bati nas portas de uma das maiores editoras da Europa. Não tinha marcado audiência, mas tentei ser perseverante. Com um livro debaixo do braço tentei subir no enorme edifício que era a sede da empresa. Não fui recebido nem pelo "sub" do "sub" do "sub" editor. Eu era um simples anônimo apaixonado pelo mundo das idéias diante de um grande império. Barraram-me. Senti-me humilhado e descobri que publicar internacionalmente é uma tarefa dantesca.

Seis anos depois recebo uma ligação do presidente dessa mesma editora. Dizia que queria me ver urgente. Determinado, disse que se eu não pudesse ir vê-lo em seu país, ele viria ao meu com toda a sua equipe. Como não pude ir, pois estava negociando os direitos autorais dos meus livros com uma editora americana, ele veio. No almoço, o presidente da editora disse que me queria de qualquer maneira no quadro de seus autores. E ofereceu condições que jamais pensei que teria.

Lembrei-me do passado e mais uma vez confirmei com humildade que a vida é cíclica. Vales e montanhas se sucedem. A humilhação de hoje pode se converter em glória amanhã e a glória de hoje pode se converter em rebaixamento amanhã ou conduzir às regiões imperceptíveis do anonimato. Nada é totalmente seguro na existência humana. Devemos valorizar a vida muito mais do que o sucesso, os aplausos ou o reconhecimento social.

Muitos cientistas, antes de descobrirem suas grandes idéias, produziram idéias medíocres, foram criticados, excluídos. Alguns grandes políticos, como Abraham Lincoln, só tiveram êxito depois de amargar salientes fracassos. Alguns grandes empresários só atingiram o apogeu depois de visitarem os vales da falência, da escassez e do vexame público.

Quem quer o brilho do sol tem de adquirir habilidade para superar as tempestades, tem de ser resiliente para atravessar o breu da soturna noite. Não há milagres. A vida é uma grande aventura onde noites e dias se alternam.

O drama e o lírico

> Muitos compram o bilhete da festa, mas não a alegria; compram roupas de marca, mas não o conforto; compram o seguro de vida, mas não a tranqüilidade.
>
> A. Cury, em *Dez leis para ser feliz*

De todos os materiais, a água é o mais resiliente. Sobe até os céus, desce como gotas de lágrimas, percorre corredeiras, desce cachoeiras, cabe em um oceano ou no menor de todos os orifícios. Nunca dá desculpas para deixar de contornar seus obstáculos.

Por não decifrarmos o Código da Resiliência, não assumimos formas e contornos para preservar o que amamos. Os melhores amigos um dia se afastam. Nem sempre se afastam psiquicamente, mas fisicamente. Alguns mudam de cidade, outros mudam seu estilo de vida, se recolhem no deserto das suas atividades. Permita-me parafrasear as palavras do Mestre dos mestres: bem-aventurados os que preservam seus amigos ao longo do traçado da sua história porque deles não é o reino da solidão.

Viver é conquistar, ter experiências, cultura, amigos, um grande amor; viver também é perder, diminuir a destreza muscular, o reconhecimento social, a vitalidade social. Viver é encantar com os outros e ter expectativas correspondidas; viver também é se desencantar e ter expectativas esfaceladas. O drama e o lírico sempre nos acompanham.

Quem decifra o Código da Resiliência vai, ainda que sem ter consciência, construindo ao longo da vida centenas de janelas lights em seu inconsciente, que darão sustentabilidade para sua lucidez, ânimo, sensibilidade, sabedoria, tranqüilidade. Ainda que se perca a vitalidade física, preservaremos a psíquica; ainda que os aplausos cessem, a vida continuará sendo um show no anonimato.

Tudo que tem um preço é barato. Só aquilo que o dinheiro não compra é realmente caro, e quem não adquiri-lo será sempre um miserável, ainda que seja um milionário.
A. Cury, em
O vendedor de sonhos

Uns trabalham a argila, outros o mármore e ainda outros peças para construir aparelhos, mas poucos aprendem a trabalhar o material das decepções. Fomos treinados para ganhar, mas não para nos frustrar. Fomos treinados para viver nas primaveras.

Nada é mais belo do que ter filhos. Nada é mais gostoso do que um abraço, um beijo, uma simples frase dizendo "eu te amo". Mas o tempo passa, passa a vida e eles criam asas e percorrem outros ares. Entediados, os pais experimentam a síndrome do ninho vazio.

Deram-se, amaram e se preocuparam tanto com seus filhos, mas eles nem sempre saíram como sonharam. Alguns se drogaram ou adquiriram outros transtornos, ou se tornaram indiferentes e ainda outros não aprenderam a pensar no amanhã: gastam compulsivamente.

Porém, é necessário deixar os filhos caminharem com suas próprias pernas. Nós os deixamos partir para que eles se encontrem. Nós recolhemos a pena e o papel para que eles escrevam a sua história.

Nós deixamos de superprotegê-los, para que saiam de nossa sombra e construam sua segurança.

Muitos filhos só irão reconhecer a grandeza de seus pais quando os sofrimentos diminuírem o heroísmo deles, quando baterem asas de encontro às adversidades. É necessário deixá-los voar para que decifrem o Código da Resiliência.

Um homem que fez da vida um show insubstituível

Não é a quantidade de tempo que determina a profundidade de uma relação. Podemos fazer de cada fração de tempo um momento único. Há pacientes que estão fisicamente doentes, têm meses de vida, mas fazem de cada momento uma experiência solene. São mais dignos e mais felizes do que quem vive décadas com uma existência vazia.

> **Brilhantes executivos percebem pequenos sintomas que revelam que o caixa da sua empresa está com problemas e rapidamente agem para saná-lo, mas não percebem os gritantes sintomas que indicam que sua saúde física e psíquica está falida.**
> **A. Cury, em**
> ***O código da inteligência***

Certa vez, ao dar uma conferência em uma cidade que nunca tinha visitado, um padre em fase terminal pediu que o visitasse. Era de origem italiana, muito inteligente, lúcido e extremamente afetivo. Estava com câncer de fígado em estágio avançado. Ao visitá-lo, ele me disse que há anos usava meus livros e os presenteava para seus amigos a fim de que abrissem o leque da inteligência.

Fiquei feliz com sua colocação. À medida que conversava com ele, meus olhos lacrimejaram ao ver alguém muito magro, ofegante, que mal conseguia andar e respirar, mas que revelava uma ternura indecifrável, uma fé inabalável.

Não reclamava, não condenava, não se achava o mais miserável dos seres. Psicoadaptou-se a suas indecifráveis limitações. Era um poeta do Autor da vida na forma de ser humano.

Tinha seus temores, mas aprendeu a decifrar em seu caos o Código da Resiliência. Aprendeu a viver cada minuto como se fosse eterno. Tornou-se um homem profundo, sereno. Um ser humano muito melhor do que eu, do qual deveria aprender grandes lições.

Por fim, ao me despedir dele, me agradeceu por tudo o que escrevi. Mas eu é que lhe agradeci por existir e por conhecê-lo. Sentia-me honrado diante de alguém que aprendeu a fazer da sua vida um show insubstituível.

O maior fenômeno das olimpíadas

Mike Phelps tinha hiperatividade e transtorno de déficit de atenção. Era inquieto, agitado, não se adaptava ao sistema escolar, não conseguia ficar parado, não se concentrava em sala de aula. Tinha necessidade de se movimentar, falar, agir, reagir. Uma professora, observando seus comportamentos, sentenciou que ele era um candidato a não virar nada na vida. Foi desprezado, desacreditado.

> **Já tratei de algumas pessoas riquíssimas. Vi muitos miseráveis morando em palácios. Eram pessoas éticas e inteligentes, tiveram sucesso social e financeiro, mas não emocional. Não aprenderam a fazer daquilo que o dinheiro não compra, um show existencial.**
>
> **A. Cury, em**
> ***Os segredos do Pai Nosso***

Mas descobriu um segredo para decifrar o Código da Resiliência, para superar adversidades e enfrentar crises. Uniu dois ingredientes indispensáveis em seu psiquismo: treino (disciplina) e sonhos. Entendeu que sonhos sem treino produzem pessoas frustradas e conformistas e, por sua vez, treino sem sonhos produz servos do sistema social, pessoas que apenas obedecem a ordens, que não têm alvo ou metas.

O jovem hiperativo sonhou em ser um grande esportista. Superou as armadilhas da sua mente e treinou muito. Ao treinar, focar em seus alvos, sonhar, enfrentar sua ansiedade, aprendeu a se concentrar em suas metas. O resultado? Sem ter conhecimento de psicologia, reeditou o filme do inconsciente, as zonas de conflitos, e produziu intuitivamente uma plataforma de janelas ligths paralelas às janelas killers não reeditadas onde estavam arquivadas as experiências de desprezo e descrédito construídas em sua infância.

Desse modo entendeu que todas as escolhas têm perdas. Quem quer ganhar sempre está despreparado para viver, não sabe que os aplausos de hoje serão as vaias de amanhã. É necessário perder coisas importantes para conquistar as mais relevantes. O jovem Mike Phelps sabia onde queria chegar.

> Ser ator ou atriz principal no teatro da vida não significa não falhar ou não chorar, mas ter habilidade para refazer caminhos, coragem para reconhecer erros, humildade para enxergar nossas limitações e força para deixar de ser aprisionado pelos pensamentos pessimistas e emoções doentias.
>
> A. Cury, em
> *Seja líder de si mesmo*

Seu "eu" aprendeu a ser resiliente, a superar o drama para sorrir no palco, a superar as crises para crescer. Seu "eu" aprendeu a ser autor da sua história e, assim, viveu a mais fundamental lição do jogo da vida: *ninguém é digno do pódio se não usar seus fracassos para conquistá-lo* (Cury, 2004). Tornou-se a maior estrela das olimpíadas de todos os tempos. Ganhou 8 medalhas de ouro em uma mesma edição. Um feito jamais realizado.

Mike Phelps não é um super-herói, não é um superdotado, é apenas um ser humano que decifrou com maestria o Código da Resiliência. Porém o jovem Phelps, o fenômeno das olimpíadas, poderá ser um fracasso em outras áreas da existência se não aprender a decifrar os demais códigos da inteligência: a mesa redonda do eu, o filtro psíquico, a proteção da emoção, o debate de idéias, o altruísmo, o carisma. Esses são desafios gigantescos a serem enfrentados não no "cubo de água", mas no traçado do tempo. Desafios cujas conquistas não são reconhecidas por medalhas nem pelos holofotes da mídia. São anônimas e insubstituíveis.

A cultura da competição nas olimpíadas é brilhante. Pessoas de todas as raças, religiões, regiões, nacionalidades, se unem como uma família, a família humana, no palco do esporte. Competir, participar, dar o melhor de si, é nobre. Mas a cultura da premiação, que exalta em prosa e verso apenas a minoria que atinge o pódio é paranóica, desinteligente, escassa em humanismo, pobre em promover o Código da Resiliência.

O excesso de nacionalismo no ranking das nações que mais ganham medalhas é um sintoma que emana do inconsciente de uma espécie doente, que decifra pouco os códigos da inteligência. As olimpíadas perdem a oportunidade de ouro de dar um choque de lucidez na família humana. As medalhas deveriam ser um importante apêndice e nada mais, e não o centro das atenções. A festa deveria ser outra.

Por ser a vida brevíssima e belíssima, deveríamos viver cada suspiro existencial como um momento eterno. Para isso, deveríamos ser ágeis para mudar nosso paranóico estilo de vida.
A. Cury, em
Revolucione sua qualidade de vida

Ser resiliente é fundamental

Quem não decifra o Código da Resiliência cobre-se com o manto do pessimismo, tem insônia no melhor dos leitos. Quem trabalha suas crises, adocica a vida, torna-se generoso com a própria existência, habilita-se para compreender o cerne do outro. Julga menos e se entrega mais.

Muitos pensadores foram discriminados, considerados loucos, tolos, rebeldes e perturbadores da ordem social ao longo da história. Alguns conseguiram força na fragilidade, conforto no isolamento, ânimo no terror das incompreensões.

Sócrates foi condenado a beber a cicuta, a morrer envenenado, pelo incômodo que seus pensamentos causaram na elite governante. Seus jovens discípulos, em meio a lágrimas e dor, suplicavam que reconsiderasse sua postura e suas idéias, mas dando-lhes um choque de resiliência disse em outras palavras que preferia ser fiel às suas idéias a ter uma dívida impagável com sua própria consciência (Cury, 2000).

Giordano Bruno, filósofo italiano, andou errante por muitos países, procurando uma universidade para expor suas idéias. Foi banido, excluído, tachado como louco. Sem ninguém para ouvi-lo, procurava em seu próprio mundo aconchego para superar sua solidão. Experimentou diversos tipos de perseguição e sofrimento, culminando na sua morte.

Baruch Spinoza, um dos pais da filosofia moderna, de origem judaica, foi banido dramaticamente pelos membros de sua sinagoga por causa da convulsão que suas idéias causaram. Chegaram a amaldiçoá-lo com palavras insuportáveis de ouvir: "Que ele seja maldito durante o dia, e maldito durante a noite; que seja maldito deitado, e maldito ao se levantar; maldito ao sair, e maldito ao entrar...". O dócil pensador teve de aprender a se aquecer no mais cáustico inverno da discriminação.

> **Quem vence sem lágrimas e dificuldades triunfa sem humildade. Quem triunfa sem humildade nunca valorizará os demais competidores. Por mais que sejamos vencedores no jogo da vida, a morte sempre vencerá.**
> **A. Cury, em *Nunca desista dos seus sonhos***

Immanuel Kant foi tratado como um cão pelo incômodo que suas idéias causavam no clero de seu tempo. Voltaire também passou por rejeições e inumeráveis riscos. Produzir idéias tem um preço, ser diferente tem um preço, nem sempre fácil de pagar, mas necessário para saldar o débito com nosso próprio Eu.

Em qualquer campo da atividade humana, raramente as grandes conquistas são alcançadas antes de idéias que nos fazem pensar por alguns momentos "não dá mais!", "não tenho força!", "estou no limite!"

Tempos difíceis

Vivemos em tempos complicados nessa sociedade ansiosa. Se não nos decepcionarmos com os outros, dificilmente não nos decepcionaremos conosco mesmos. O protagonista do romance *O vendedor de sonhos* questiona "quem não trai o tempo com seus filhos por mais algumas horas trabalhadas? Quem não trai seus sonhos pelo excesso de trabalho?"

Uns traem ao Deus que crêem com uma religiosidade exclusivista, outros traem a ciência ao controlar seus pares e outros ainda traem sua criatividade pelo medo de se abrir para novas idéias.

Os tempos mudaram. À medida que as crianças sofrem menos traumas na sua infância devido à propagação dos direitos humanos, os traumas do presente ganham destaque para promover o adoecimento psíquico. Por estudar a teoria das janelas da memória estou seguro em dizer que não precisamos de um passado doente para sermos doentes. Basta viver nessa sociedade estressante e extremamente competitiva sem aprender a ser um gestor do intelecto e sem decifrar o Código da Resiliência para adoecer.

As crises financeiras podem ser tão dramáticas quanto os traumas da infância. Alguns faliram uma vez, perderam seus nomes, sentiram-se profundamente envergonhados, desanimados e desacreditados por eles mesmos. O "Eu" deles foi para a platéia, tornaram-se espectadores da vida, nunca mais assumiram seu papel no palco psíquico.

Outros faliram uma, duas, três ou mais vezes. Foram marcados, excluídos, zombados, mutilados socialmente, tachados de irresponsáveis, mas não se curvaram. Mesmo sem forças, não se tornaram escravos das suas derrotas. Deram um choque de gestão em suas mazelas.

Entenderam que nenhum ser humano ou nenhuma empresa é digna do sucesso se não usar seus fracassos e vexames para conquistá-lo. Quanto maior o tombo que sofreram, mais garra tiveram para se superar. Aprenderam a não destruir e nem se autodestruir quando feridos. Fizeram intuitivamente a técnica do "Stop Introspectivo", aprenderam a pensar antes de reagir.

Sob o calor da paixão, alguns bradam "encontrei minha cara metade", tempos depois foram abandonados, golpeados, traídos. Quebraram a cara, destruíram suas expectativas, estilhaçaram seus sonhos afetivos. O que fazer? Desesperar-se. Não! Ferir quem feriu? Jamais! Punir-se? Não! Ser resiliente e desprendido, dar liberdade para as pessoas que o feriram partirem. Dizer com elegância algo assim: "Se não me quer, eu me quero. Se não me ama, eu me amo. Seja feliz, porque lutarei por mim e procurarei ser mais feliz do que era."

Só uma pessoa de grande estatura resiliente dá plena liberdade para as pessoas o abandonarem. Quem não dá liberdade para os outros jamais encontrará sua própria liberdade. Quem controla os que estão próximos será sempre escravo de sua própria insegurança. Quem tem ciúmes excessivos e medo de perder algo ou alguma coisa, já perdeu. Perdeu a dimensão do seu próprio valor.

Os que decifram o Código da Resiliência conhecem a si mesmos. Fazem da sua existência um espetáculo inigualável.

Possíveis conseqüências de quem decifra o Código da Resiliência:

1. Torna-se uma pessoa segura, estruturada, que não se submete às derrotas.
2. Usa as dificuldades, crises, perdas e adversidades como oportunidades.
3. Expande os níveis de tranqüilidade, prazer de viver, compaixão, tolerância.
4. Contribui para educar pensadores com uma visão humanista e realista da vida.
5. Desenvolve saúde psíquica nas intempéries existenciais.

Possíveis conseqüências de quem não o decifra:

1. Desenvolve humor depressivo, irritabilidade.
2. Desenvolve baixo limiar de suportabilidade aos estresses.
3. Diminui os níveis de tranqüilidade, tolerância, compaixão, generosidade.
4. Torna-se reativo, impulsivo, impaciente.
5. Os sofrimentos não o amadurecem, não o constroem.

Decifrando o Código da Resiliência: exercícios

1. Ter consciência de que a vida é cíclica. Não há sucesso que dura todo tempo e nem fracasso que é "eterno". Aplausos e anonimato alternam-se de múltiplas formas.
2. Treinar diariamente a enfrentar obstáculos, barreiras, dificuldades, crises, com flexibilidade, maleabilidade, reflexibilidade.
3. Saber que as decepções e as adversidades nos constroem ou nos destroem. Usá-las para se reconstruir.
4. Ter plena consciência de que ninguém é digno da saúde psíquica se não usar suas crises, angústias, fobias, humor depressivo, para destilá-la.

5. Ter sapiência diária de que nenhum ser humano ou nenhuma empresa ou instituição será digna do sucesso se desprezar suas derrotas, vexames, percalços, acidentes de percurso. Aprender a escrever nos dias mais dramáticos de nossa existência os capítulos mais importantes de nossa história.

Capítulo 13

Quarto código da inteligência: *Código do Altruísmo — capacidade de se colocar no lugar dos outros*

O Código do Altruísmo é o segredo da afetividade social, da capacidade de se doar, de cuidar e proteger quem nos cerca. É o código que expressa a grandeza da alma, a generosidade, a bondade, a compaixão, a indulgência e o desprendimento. É o código que nos vacina contra toda forma de discriminação e contra o estrelismo, o individualismo e o egocentrismo.

O altruísmo é o reflexo de nossa humanidade, quanto mais altruístas, mais humanos somos. Quanto mais ególatras e individualistas somos, mais expressamos nossa natureza animal ou instintiva, mais nos tornamos agentes da exclusão e da agressividade. O Código do Altruísmo nos faz solidarizar com quem falha, condoer-nos com o sofrimento do outro, retirá-los do isolamento, incluí-los, encorajá-los, estimulá-los.

Quem desenvolve esse código torna-se um ser humano sem fronteira. Tem plena consciência de que somos seres humanos acima de sermos americanos, chineses, árabes, judeus, intelectuais, iletrados. Por isso, o exercício pleno do Código do Altruísmo é desenvolver a paixão pela humanidade e a capacidade de se colocar no lugar do outro para perceber seus sentimentos, desvendar suas necessidades.

Quem deseja decifrar ao longo da sua vida o Código do Altruísmo deve entender e aplicar estes fenômenos:

1. Que quem ama o poder não é digno dele.
2. Quem controla as pessoas que lidera, não é digno de ser um líder.
3. O poder político, científico, social, deve ser usado para promover os outros e não para subjugá-los, silenciá-los.
4. Os olhos da face enxergam comportamentos visíveis; os olhos altruístas enxergam o que está por trás deles.
5. Ser apaixonado pela humanidade: doar-se e contribuir com a sociedade não deve ser um sacrifício nem propaganda política, mas um insondável prazer que deve ser feito sem propagandismo.
6. Apostar no ser humano e acreditar na vida, mesmo que as pessoas e as circunstâncias que nos cercam nos estimulem a ser pessimistas.
7. Ser uma pessoa repleta de gratidão. Ser rápido em agradecer e lento em reclamar.

Lágrimas que nunca encenaram no teatro do rosto

Quem decifra o Código do Altruísmo consegue enxergar as lágrimas que nunca percorreram os sulcos do rosto, as dores que jamais foram verbalizadas, os temores que vestiram seus disfarces. Os altruístas captam os conflitos dos seus filhos, as preocupações dos seus pais, as angústias do seu amante ou amada, os conflitos dos seus alunos.

Quem não é fiel a sua consciência tem uma dívida impagável consigo mesmo.
A. Cury, em
Inteligência multifocal

Os altruístas não espoliam seus amigos, não sugam e exploram quem amam; ao contrário, são ávidos para contribuir com eles. São profundamente agradecidos aos empregados que os servem, aos colegas de trabalho que com ele colaboram, aos professores que os ensinaram e aos pais que os sustentaram.

Não são tolos nem ingênuos. São realistas, mas têm uma visão romântica da vida. Os altruístas se doam para os outros porque aprenderam a dádiva de reconhecer os que se doaram por ele.

> Devemos aprender a valorizar muito o ser, mas sem desprezar o ter.
> A. Cury, em *Superando o cárcere da emoção*

Somente aquele que aprende a arte de agradecer aprende a arte de se doar, decifra o código do altruísmo. O altruísta não vive ilhado, ensimesmado, gravitando apenas na órbita das suas necessidades. Tem prazer de fazer os outros felizes, de promover o sorriso, cultivar o bem-estar.

Os que não são altruístas são "tratores sociais", passam por cima dos sentimentos alheios, não respeitam suas crises. Não dão o ombro para seus pais, amigos, colegas, irmãos, chorarem. São os primeiros a apontar os dedos, julgar, denunciar falhas, atirar pedras, e são os últimos a abrirem os braços para acolher.

O canteiro de violência em que se converteu a humanidade é reflexo de que apenas a exceção desenvolveu o código do altruísmo. Sem esse código é impossível desenvolver relações sociais saudáveis.

Os limites da interpretação exigem o código do altruísmo

Quando vemos um jovem atirando em seus colegas nas escolas, ficamos pasmados, abalados, perguntando-nos como isso é possível. Não percebemos que essa agressividade representa apenas a ponta do iceberg de uma grande quantidade de alunos que não desenvolveu a capacidade de ser generoso consigo e nem com os outros.

Não aprenderam a perscrutar seus próprios sentimentos e nem a se colocar no lugar dos outros. O resultado? Projetam sua auto-agressividade em quem está ao redor.

Alguns jovens antes de sair atirando em seus colegas e tentar o suicídio, clamaram por serem ouvidos. Pediram ajuda através de seus comportamentos agressivos ou retraídos, do seu silêncio ou da sua agitação, mas quem ouve os gritos não traduzidos pela voz? Quem ouve o clamor represado no território psíquico? Se mal traduzimos as palavras, como traduziremos o inaudível?

A maioria dos pais e professores não aprendeu a ouvir o inaudível. São ótimos para julgar e criticar, mas não são bons para perguntar "o que você sente e nunca teve coragem de dizer". Não desenvolveram o código do altruísmo.

Não é simples interpretar comportamentos. A imagem e os sons dos comportamentos que observamos incidem em nosso sistema sensorial, vão até o córtex cerebral, acionam o Gatilho da Memória (fenômeno da autochecagem), conduzindo a abertura de diversas janelas, e somente a partir daí se checa ou assimila os comportamentos que observamos. Portanto, são as experiências arquivadas que temos que dão significado ao objeto exterior, no caso os comportamentos. Esse processo dura frações de segundos e está associado a muitos erros.

Quem é exigente com a qualidade dos produtos que consome, mas não com a qualidade dos pensamentos que produz, trai sua saúde psíquica.
A. Cury, em
12 Semanas para mudar uma vida

Primeiro, porque interpretamos os outros a partir de nós mesmos; enfim, de acordo com as janelas que abrimos em nosso inconsciente. Segundo, porque nosso estado emocional (como estou), o ambiente social (onde estou) e nosso grau de motivação influenciam tanto na quantidade de janelas abertas como no grau de abertura de cada uma delas. Terceiro, porque o corpo de pensamentos derivados desse processo de significação é virtual, apenas tenta definir, esquadrinhar, conceituar interpretativamente o outro, mas jamais atinge a sua realidade.

Por isso, tudo o que pensamos sobre o outro não é o outro em si, mas um sistema de interpretação que pode diminuí-lo (desumanizá-lo) ou aumentá-lo (divinizá-lo). Se um ser humano deprecia e rejeita alguém e quando o vê sente asco, certamente quando o ouvir, diminuirá suas idéias, o desumanizará. De outro lado se o idolatra, o supervaloriza e é incapaz de ter autocrítica em relação ao que ouve, certamente o divinizará. Até um espirro dele terá grande significado.

> **Temos um Judas Iscariotes escondido nos recônditos de nosso ser. Uns traem o tempo com seus filhos por um pouco mais de horas trabalhadas. Outros traem sua saúde chafurdando na lama das suas preocupações. Ainda outros traem seu sono entrando na internet madrugada afora.**
> **A. Cury, em**
> ***O vendedor de sonhos***

Durante vinte anos estudei o processo e os limites da interpretação e tenho claro de que interpretar gera freqüentemente grandes distorções. Para que essas distorções sejam minimizadas é fundamental treinarmos decifrar o Código do Altruísmo associado ao Código da Autocrítica e da gestão psíquica do Eu. Mas como não somos treinados para decifrá-los, criamos com incrível facilidade deuses e demônios na ciência, política e religião.

A história pode se repetir

Hitler tornou-se líder da sociedade que mais havia ganhado prêmios Nobel até a década de trinta. Uma sociedade que havia produzido Kant, Hegel, Schopenhauer e tantos outros brilhantes pensadores. Outros "Hitleres" aparecerão? Infelizmente, sim.

Se surgiu um tirano seduzindo uma sociedade inteligentíssima, não há nenhum impedimento para seduzir outras sociedades menos aptas intelectualmente. Se não preparamos a próxima geração para decifrar os códigos da inteligência, permitiremos que outros psicopatas proponham idéias inumanas para resolver conflitos humanos.

Os gemidos de centenas de milhares de crianças judias e de outras minorias mortas nos campos de concentração ainda ecoam pela nossa história, acusando nossa loucura. Não basta ler a história e se admirar com as atrocidades cometidas, é preciso ter a pedagogia da indignação, ter ouvidos altruístas para ouvir clamores inaudíveis.

Os adolescentes do mundo todo sabem de alguns fatos que ocorreram na Segunda Grande Guerra, mas como não teatralizam a história, como não aprendem a se colocar no lugar das pessoas que sofreram, as informações que recebem, em vez de produzir a pedagogia da indignação e educá-los, geram insensibilidade. A história expressa friamente no microcosmo da sala de aula não decifra o código do altruísmo. Piora e não melhora a intelectualidade dos alunos. Parece banalidade homens terem escravizado homens, negros terem sido algemados por séculos.

> Nunca exija o que os outros não podem dar. No momento em que uma pessoa erra, falha, se equivoca, não consegue abrir o leque da inteligência para dar respostas lúcidas. Exigir dela lucidez nos focos de tensão é uma afronta aos direitos humanos.
>
> A. Cury, em *A sabedoria nossa de cada dia*

Educar não é se fechar em uma classe social, grupo étnico, religioso, cultura, mas, como Adorno diz, é ter uma consciência de mundo. Devemos educar para garantir não apenas a produção e a reprodução do conhecimento, mas a capacidade de resgatar e reafirmar valores éticos que preservem a vida na Terra (Adorno, 1971).

Somente a educação altruísta resgata valores éticos e é capaz de batalhar contra a prevalência do instinto humano no tecido social. O egoísmo, o individualismo, o egocentrismo, se desenvolve espontaneamente sem nenhum esforço educacional. Notem que é comum vermos crianças sendo tirânicas com outras crianças.

Não espere que as crianças e adolescentes sejam espontaneamente solidárias, tolerantes e socialmente afetivas. Essas características são difíceis de serem elaboradas na psique, dependem de aprenderem o alfabeto da sensibilidade, do prazer em se doar, da paixão pela humanidade. É muito mais fácil alfabetizar o intelecto para ler do que alfabetizar a emoção para se doar.

Minha impressão é que os jovens estão desenvolvendo traços de psicopatia coletivamente. Não são psicopatas clássicos, que destroem ou matam sem sentir a dor dos outros. Mas machucam seus colegas com facilidade e raramente têm sentimento de culpa. Agridem seus educadores como se fossem mais um mero figurante em sala de aula.

O altruísmo manifesto no mais simples gesto

Tenho procurado educar minhas filhas a decifrar o Código do Altruísmo desde os primeiros anos de vida. Sempre estou dizendo que há um tesouro soterrado nos escombros das pessoas que sofrem. Sempre tenho comentado que cada ser humano é um mundo fascinante a ser descoberto, que tem lágrimas e alegrias, ousadias e recuos, lucidez e estupidez. Valorizar a vida e respeitar nossas diferenças são fundamentais para a maturidade.

> **Mais de 90% de nossas correções não educam, invadem a privacidade. Por quê? Porque primeiro queremos conquistar a razão para depois a emoção. Conquiste primeiro a emoção, valorize quem será corrigido, e somente depois faça sua crítica. Você não será um invasor, mas um educador inesquecível.**
>
> A. Cury, em
> *Pais brilhantes, professores fascinantes*

Elas têm aprendido o alfabeto do altruísmo. Freqüentemente me apontam pessoas brancas, negras, bem vestidas ou mendigos nas ruas e me perguntam: "O que aquela pessoa está pensando? Quais foram suas aventuras e seus dias mais tristes? Quais foram suas lágrimas e alegrias?" Essas palavras soam como música para meus ouvidos.

Estava dando uma conferência na associação médica do Paraná. Meu amigo, Dr. Macedo diretor dessa associação, após o evento nos levou para jantar. Quando chegamos ao restaurante, ele viu alguns mendigos dormindo na rua. Era inverno. O frio e o vento roçavam a pele. Ao vê-los, abriu o porta-malas do seu carro, tirou dois cobertores e pediu para minhas filhas cobri-los. Elas o fizeram com alegria. Em um simples gesto tiveram uma grande experiência altruísta.

Este nobre cirurgião é um médico social sempre tem esses gestos. Sem conhecer o funcionamento da mente, também treinou seus filhos a decifrar o Código do Altruísmo e desenvolver uma das mais raras e difíceis funções do psiquismo: colocar-se no lugar dos outros.

> **Uma pessoa imatura pensa que todas suas escolhas geram ganhos. Uma pessoa madura sabe que todas as escolhas têm perdas.**
> A. Cury, em
> *Nunca desista dos seus sonhos*

O Código do Altruísmo pode ser decifrado com os mais simples gestos, mesmo os imperceptíveis e anônimos, como preservar a natureza, reciclar o lixo, fazer um favor a pessoas necessitadas, deixar um bilhete para quem ama, elogiar pessoas que raramente são dignas de elogios, agradecer os pais por tudo o que fazem por nós, apesar de seus defeitos, elogiar os filhos por existirem e nos amarem.

Só se ensina o Código do Altruísmo fazendo

O Código do Altruísmo não se ensina oralmente, não se transmite através de textos, não se ilustra com multimídia, apenas fazendo, transmitindo exemplos de vida. Educamos mais pela eloqüência do silêncio do que pela eloqüência das palavras. Os líderes e educadores que enfatizam as palavras falharão. Lembre-se, devemos educar sempre e, se necessário, usar as palavras.

Coloquem os jovens dentro da sala de aula durante mil anos e transmita-lhes trilhões de informações e enfiem na cabeça deles todos os livros do mundo. Aos receberem o diploma estarão aptas para fazer guerras, destruir e se autodestruir. Coloquem-nos nos desertos sociais durante um ano, onde participam cuidando, amparando e aliviando a dor dos outros, que sairão preservando a vida.

As crianças e os adolescentes deveriam, sempre que possível, participar de atividades em creches, hospitais, asilos, instituições que cuidam de crianças com câncer, associações que preservam a natureza.

A educação amalgamada à ética e ao altruísmo constrói o sujeito solidário, magnânimo, aberto, contribuindo para a consciência da condição humana e para o "aprendizado da vida", como preconiza o ilustre Morin. É uma educação que estimula a aptidão crítica e autocrítica do sujeito, que pode ajudar a nos tornar melhores, se não mais felizes. É uma educação que nos ensina a assumir a parte prosaica e viver a parte poética de nossa vida (Morin, 2000).

O Código do Altruísmo nos transforma em poetas da vida, ensina-nos a viver a poesia da solidariedade e da sensibilidade, ainda que nunca escrevamos textos. O individualismo é uma fonte de transtorno psíquico, a solidariedade é uma fonte de saúde emocional. A solidariedade é um passo além da tolerância. Tolerância é respeitar o outro, solidariedade é procurar o outro e participar da sua história.

O planeta psíquico é tão complexo que pode mudar as leis da matemática: a adição pode gerar diminuição, a multiplicação pode gerar contração. Só não entende esses paradoxos quem nunca arriscou explorá-los.

A. Cury, em
O código da inteligência

Nas sociedades modernas, estamos assistindo ao enterro da solidariedade. Muitas pessoas têm intenção de contribuir com os outros, mas estão ilhadas em seu próprio mundo, soterradas pela avalanche de atividades.

O excesso de atividades e de estímulos sociais não apenas nos tem feito desenvolver a SPA — síndrome do pensamento acelerado —, mas também a síndrome da exteriorização existencial, caracterizada pela dificuldade de viajar para dentro de si mesmo, de refletir, se repensar, se reorganizar, ter sentido existencial.

Uma mente agitada, inquieta, não tem tempo nem clima psíquico para vivenciar as vertentes desse magno código da inteligência. Para decifrá-lo precisamos diminuir nossa ansiedade e começar a prestar a atenção nas diminutas e grandiosas coisas que nos rodeiam.

Para quem não decifra o Código do Altruísmo o drama da fome, da discriminação, da exclusão, das mazelas alheias, ainda que gere constrangimentos, ficará sempre nos dicionários, não penetrará nas fronteiras da sua história.

Insensibilidade *versus* hipersensibilidade

Se o Código do Altruísmo não for adequadamente trabalhado, afetará o desenvolvimento emocional, podendo ocorrer duas situações extremas e opostas entre si: a insensibilidade ou a hipersensibilidade. Nada pode comprometer tanto a personalidade do que uma emoção que vive nas raias da insensibilidade ou, ao contrário, nas trajetórias da hipersensibilidade.

> **Quem tem a necessidade neurótica de ser perfeito, nunca terá contato com sua realidade, nunca terá acesso às suas falhas. Permanecerá intocável. Levará para o túmulo seus defeitos.**
> **A. Cury, em**
> ***Seja líder de si mesmo***

Educar a sensibilidade é mais importante do que ensinar núcleo atômico ou as forças do universo. É estudar o mais fundamental de todos os universos, o psíquico, é investigar o mais fundamental e invisível de todos os núcleos: o intelecto. Decifrar a linguagem da sensibilidade é refinar a arte de sentir, inspirar, aspirar, ver, perceber. Mas não somos treinados nessa expertise.

A insensibilidade e a hipersensibilidade são duas armadilhas devastadoras da mente humana que podem bloquear o Eu como gestor psíquico e o código do altruísmo. Pode levar a emoção a ser um barco à deriva, o intelecto a ser uma aeronave sem "manche". Pode comprometer ainda o Código da Resiliência e contrair a capacidade de superar conflitos e infortúnios.

Podemos chamar a insensibilidade ou anti-altruísmo e a hipersensibilidade de hiper-altruísmo. Dificilmente não entramos nas fronteiras dessas armadilhas.

Muitos desenvolvem insensibilidade nas sociedades modernas. Não atiram pedras que dilaceram os músculos, mas desferem calúnias e difamações que dilaceram mentes. Os psicopatas são anti-altruístas.

De outro lado, muitos também desenvolvem hipersensibilidade. São hiper-altruístas, sempre se esquecem de si mesmos para pensar nos outros.

Uma pessoa insensível exclui os outros, uma hipersensível os superprotege. Uma pessoa insensível fere facilmente quem o rodeia, uma hipersensível fere facilmente a si mesmo para não magoar os outros. Uma pessoa insensível não se preocupa com os outros, uma hipersensível vive a história deles. Uma pessoa insensível não se comove com as cenas do cinema, uma hipersensível chora com facilidade. Uma pessoa insensível não tem sentimento de culpa quando erra, uma hipersensível o tem excessivamente. Uma pessoa insensível despreza o futuro, uma hipersensível sofre por antecipação.

Quem são as melhores pessoas da sociedade? As hipersensíveis. Quem está mais sujeita à depressão e outros transtornos emocionais? Muito mais as hipersensíveis. Elas são excelentes seres humanos, mas colocam-se em último lugar na pauta das suas prioridades.

Uma pessoa insensível deixa todos doentes ao seu redor, uma pessoa hipersensível adoece por todos ao seu redor. A diferença entre ambos é gritante. Uma pessoa insensível é carrasco dos outros, uma pessoa hipersensível é algoz de si mesma.

Uma ferramenta para educar a sensibilidade

Para educar o Código do Altruísmo é importante conhecermos os capítulos mais importantes da história de quem amamos. Apesar de ser ocupadíssimo, tenho me preocupado em conhecer alguns textos da história dos meus pais que eles nunca contaram espontaneamente para seus seis filhos. Se considerarmos a personalidade como um grande edifício, a maioria dos pais e filhos conhece apenas a fachada da personalidade uns dos outros.

Recentemente pedi a meu pai e minha mãe mais uma vez que me contassem trechos importantes de suas vidas. Surpreendi-me e os admirei mais ainda. Vislumbrei intensa ternura escondida naqueles cabelos brancos. Meu pai perdeu sua mãe aos cinco anos de idade. Seus pais eram do Oriente Médio. O que não sabia era que ele foi criado na sua infância junto com uma família de negros. Disse que diariamente ia abraçar sua "avó" negra, muito amável e generosa.

Contou-me ainda que na adolescência um senhor negro, chamado Osvaldo Barbosa, foi repreendê-lo por um comportamento que achava inadequado. Uma pessoa o segurou e ambos caíram, pois pensava que meu pai e ele estavam brigando. O senhor Barbosa foi preso. Meu pai foi à delegacia, lhe pediu desculpas e pediu para o delegado soltá-lo, dizendo que seu Barbosa era como um pai para ele. "Não se preocupe meu filho", foi a resposta do senhor Barbosa diante de um delegado atônito.

Minha mãe, de origem espanhola e ítalo-judia, passou privações na infância. Sua mãe teve quatorze filhos. Não tinha tempo para dar atenção aos filhos e nem dinheiro para sustentar a família. As dificuldades eram tão gritantes que sua mãe fritava um ovo e o repartia em quatro. De vez em quando comiam algumas batatas, mas nunca jogavam fora a casca. Em época de aniversário não havia bolos e nem presentes. Faziam um frango com polenta e davam um pedaço para cada filho. Eu só tenho a agradecer os pais que tenho. Não são perfeitos, mas são encantadores.

A vida é uma grande universidade, mas pouco ensina para quem não aprende a aprender.
A. Cury, em
Nunca desista dos seus sonhos

É uma pena que grande maioria dos filhos e alunos nunca penetrou nos textos mais nobres do livro existencial dos seus educadores. Quando muito lêem o prefácio da história deles. Ficam na superfície emocional, não decifram o Código do Altruísmo. Educadores que não falam das suas lágrimas para seus filhos e alunos nunca os ensinarão a chorar. Mestres que não falam das suas crises e dificuldades, nunca os ensinarão a suportar adversidades. Educarão eternos meninos.

Conhecer os capítulos mais importantes da personalidade de nossos pais e professores é uma excelente ferramenta para educar a sensibilidade. Sem usar essa ferramenta facilmente caímos nas raias da insensibilidade ou da hipersensibilidade

Desenvolver o Código do Altruísmo ou da sensibilidade deveria ser um alvo prioritário de todas as escolas de ensino fundamental, médio e universitário. Mas em que espaço educacional mundial esse alvo tem sido perseguido? Apenas alguns educadores isoladamente o tem procurado. Desculpem-me dizer que psicopatas e pessoas depressivas se desenvolvem diante de nossos olhos. E fazemos muito pouco para ajudá-los.

Possíveis conseqüências de quem decifra o Código do Altruísmo:

1. Torna-se uma pessoa generosa, influenciadora, solidária, tolerante.
2. Expande os níveis de afetividade, paciência e tranqüilidade.
3. Transforma a vida em um show existencial, em uma aventura indecifrável.
4. Contribui para educar pessoas humanas e emocionalmente maduras.
5. Cria uma rede de relacionamentos na sociedade. Transita com suavidade nas relações traumáticas.

Possíveis conseqüências de quem não o decifra:

1. Desenvolve egoísmo, egocentrismo, individualismo.
2. Tem a necessidade neurótica de poder.
3. Tem necessidade de estrelismo, propagandismo, ser o centro das atenções sociais.
4. Desenvolve ansiedade, inquietação, impaciência. Tem baixo limiar para suportar estresses.
5. Diminui os níveis de solidariedade, compaixão, generosidade. Desenvolve traços de psicopatia.

Decifrando o Código do Altruísmo: exercícios

1. Descobrir o prazer em se doar, cuidar e proteger os outros. Entender que a maturidade intelectual e a saúde psíquica exigem a ruptura do individualismo e o prazer em contribuir com a sociedade.
2. Participar de atividades sociais e associações que se preocupam em preservar a vida e o meio ambiente.
3. Ensinar crianças e adolescentes a serem seres humanos sem fronteiras, a serem apaixonados pela humanidade e a enten-

derem que há um mundo a ser descoberto dentro de cada ser humano, um tesouro debaixo dos escombros das pessoas que sofrem.

4. Prevenir a hipersensibilidade, não viver a história dos outros, não viver a dor deles e nem superprotegê-los.
5. Praticar a oração dos sábios: o silêncio. Não se submeter à ditadura da resposta e nem ter a necessidade neurótica de reagir. Não conquistar o temor das pessoas, mas o amor e a admiração delas sem propagandismo.

Capítulo 14

Quinto código da inteligência: *Código do Debate de Idéias*

O Código do Debate de Idéias é o alicerce do processo de formação de pensadores, o segredo que fundamenta intelectos livres, destemidos, intrépidos, seguros, participativos. É o código que habilita a trabalhar em equipe, interagir, trocar experiências, romper o cerco da insegurança.

Quem decifra o Código do Debate de Idéias esfacela a timidez, recicla o complexo de inferioridade, supera o medo do novo, enfrenta com dignidade a crítica, tem ousadia para refazer rotas. É o código que imprime determinação e capacidade de lutar pelo que cremos e amamos. É o segredo intelectual e emocional que jamais nos permite consignar nossa liberdade de ser e nem hipotecar nossa liberdade de agir.

Decifrar o código de debate é fundamental para o sucesso dos profissionais de uma empresa ou de um profissional liberal. Sem decifrá-los, produziremos servos e não líderes, contrairemos o potencial intelectual.

O Código do Debate de Idéias deveria fazer parte do cardápio intelectual diário de alunos, professores e pesquisadores tanto das universidades ocidentais quanto orientais. Mas, infelizmente, esse cardápio tem sido escasso. Priorizamos o acúmulo de informações e não o debate. Priorizamos respostas prontas e não a arte da dúvida.

Embora haja diversas exceções, a fogueira de vaidades que impera em muitas universidades é espantosa. Ouço coisas incríveis pelos países que viajo. O templo do conhecimento em alguns casos não é menos rígido nem dogmático do que certos templos religiosos.

A competição predatória, o controle do pensamento e a contração do debate de idéias têm penetrado nas entranhas de muitos templos do conhecimento ou universidades. A cultura informativa não tem alicerçado a sabedoria e o desprendimento. Os professores universitários são poetas da educação. Muitos são livres, generosos, amam o debate, amam o mundo das idéias, mas o sistema educacional freqüentemente está doente.

A vida é uma grande pergunta em busca de grandes respostas.
A. Cury, em *Inteligência multifocal*

Neste sistema, ter idéias diferentes, propor novas linhas de pesquisa, quebrar paradigmas, deveria ser motivo de aplausos na academia, mas nem sempre o é. Em muitos casos o pensamento que diz que *em terra de cego quem tem um olho é rei* precisa ser corrigido. É objeto de ameaça, inveja e escárnio.

Extraordinários pensadores foram e têm sido asfixiados em ambientes nos quais não se decifraram o código do debate de idéias.

O silêncio não pedagógico

Uma das coisas que mais me impressionaram quando analisei como um crítico da psicologia a inteligência de Cristo foi sua borbulhante capacidade de estimular o debate de idéias e a arte de pensar.

Seus discípulos eram toscos, agressivos, rudes, instintivos, reagiam sem pensar, eram péssimos gestores do seu psiquismo, não tinham traços de altruísmo nem sombra de resiliência. Mas ele se fazia pequeno para tornar os pequenos, grandes. Não os tolhia, não os silenciava; ao contrário, os incentivava a falar, expressar, reagir, sair de dois em dois, fazer acontecer, mesmo quando eles não tinham condições.

Era um especialista em não dar respostas prontas, mas em usar a arte da dúvida. Uma de suas brilhantes características pedagógicas era que dava respostas fazendo perguntas. Raramente alguém provocou tão positivamente o psiquismo humano. É uma pena que as religiões não o estudaram do ponto de vista psicológico, sociológico e pedagógico.

Desde os primeiros dias escolares as crianças deveriam descobrir o prazer de expressar seus pensamentos, comentar suas opiniões. Mas não incentivamos as crianças a falarem porque se procura em sala de aula um silêncio doente, um silêncio antipedagógico, que castra o debate de idéias.

Os professores são cozinheiros do conhecimento que preparam carinhosamente o alimento para uma platéia sem apetite. Nunca os alunos estiveram tão alienados.
A. Cury, em
Projeto Escola de Inteligência

Lembre-se de que comentei sobre a oração dos sábios, o silêncio. Esse silêncio exercido nos focos de tensão e que nos estimula a pensar antes de reagir é altamente pedagógico, educacional. Mas o silêncio no microcosmo da sala de aula não educa. Claro que enquanto o professor está transmitindo as informações, o silêncio é fundamental. Mas a cada cinco ou dez minutos o professor deveria interromper o silêncio e provocar a mente dos alunos. Deveria perguntar, debater, estimular o pensamento e a expressão das opiniões.

Como os alunos estão com a SPA, eles terão conversas paralelas de qualquer maneira. Se o professor ou professora souber usar a energia ansiosa da SPA para que seus alunos decifrem o código do debate, eles os respeitarão e admirarão e, além disso, aguçarão sua concentração e assimilação. Aprenderão a ser pensadores e não servos do sistema social.

Dois anos que as crianças ficam enfileiradas em silêncio na sala de aula produzem zonas de conflitos no inconsciente que podem perduram a vida toda. O fenômeno RAM (registro automático da memória) produzirá inúmeras janelas killers, que promoverão o complexo de inferioridade, a timidez, a retração do trabalho em equipe, a dificuldade de expressar as idéias (Cury, 2003). Raramente alguém que freqüentou por anos a fio uma escola não adoeceu em alguns aspectos do seu psiquismo.

De onde provém o desconforto, a taquicardia, a perda da espontaneidade, ao se levantar a mão em um anfiteatro ou em reuniões de trabalho? De onde vem o medo de enfrentar novos ambientes e novos desafios? De onde surge a necessidade doente de controlar os outros e de impor suas idéias? De onde abrolha a necessidade neurótica de estar sempre certo? E o famoso "branco" na memória quando somos confrontados? Das zonas de conflitos. Muitas delas produzidas ou desenvolvidas no inocente ambiente das salas de aulas.

> São raros os relatos na história de mulheres afligindo homens, mas há relatos em toda história de homens queimando, amordaçando e apedrejando mulheres. Na atualidade, mais uma vez o sistema masculino tortura as mulheres: imprime um padrão tirânico e inatingível de beleza. Há cerca de 50 milhões de pessoas com anorexia nervosa no mundo.
>
> A. Cury, em
> *A ditadura da beleza*

O sistema falido

Não me canso de dizer que os professores são os profissionais mais importantes da sociedade. Lavram os solos da inteligência dos alunos para que não adoeçam e não sejam tratados pelos psiquiatras, para que não cometam crimes e não sejam julgados pelos juízes. Como psiquiatra e pesquisador da psicologia não me curvaria diante de celebridades e autoridades, mas me curvo diante dos professores.

Apesar de terem trabalhos tão ou mais dignos do que os psiquiatras e juízes, eles não são reconhecidos socialmente na estatura com que merecem. O desprestígio dos professores é um fenômeno universal, atinge países ricos, emergentes e pobres. A sociedade moderna tem uma dívida impagável com os mestres e mestras. Apesar de serem profissionais nobilíssimos, os professores estão inseridos em um sistema educacional doente, falido, cambaleante.

Muitos profissionais da educação querem mudar o sistema, mas não têm meios ou cacife para isso. O sistema impõe um monólogo em sala de aula, um conteúdo programático extenso e fechado e um regime rígido de provas. Creio que mais de 95% das informações que são transmitidas aos alunos não serão lembradas ou utilizadas.

A pauta educacional não deveria ser em primeiro lugar a quantidade de informações, o detalhismo de dados, mas o raciocínio esquemático, o debate de idéias, o gerenciamento da psique. A sala de aula deveria ser um teatro onde professores e alunos são construtores do conhecimento.

> **Uma pessoa que defende com segurança suas idéias é madura, mas quem a defende obsessivamente é imatura. Seus inumeráveis argumentos revelam sua insegurança. Só uma pessoa verdadeiramente madura reconhece suas fragilidades e assume seus erros.**
>
> **A. Cury, em *O código da inteligência***

Por que não incentivamos as crianças e adolescentes a debater? Porque tumultua o ambiente, e suas respostas são erradas ou superficiais. Achamos que primeiro elas precisam ter bagagem, milhares de informações, para depois aprender a se expressar. Crasso engano! Depois que produzimos zonas de conflitos que bloqueiam os códigos da inteligência queremos que falem, respeitem seus pares, não sejam alienados, tenham compromissos com a sociedade e com o futuro. Com excelentes intenções, cometemos erros educacionais imperdoáveis.

Não entendemos o funcionamento da mente, não entendemos como preparar o Eu como gestor do intelecto e fazê-lo decifrar os demais códigos. Muitos não sabem que nos primeiros estágios do processo de formação de pensadores o importante não é a grandeza das respostas, mas a grandeza do debate. Só anos mais tarde a grandeza da resposta terá relevância e ganhará os contornos da sabedoria.

A juventude mundial tem sido treinada sistematicamente a decifrar o código da passividade. A educação que faz da memória um depósito de informações é prejudicial à formação da personalidade, gera doenças e não a saúde psíquica. Tem muito mais chances de gerar algozes do que altruístas.

Se um aluno não aprende a questionar (a) seu professor, (b) o conhecimento que lhe é transmitido e nem muito menos, (c) quem o produziu e (d) como o produziu, terá grandes chances de se tornar um mero repetidor de idéias. Sem aprender a fazer debate sobre esses quatro elementos, não saberá transformar informações em conhecimento, conhecimento em experiência e experiência em sabedoria. A escola clássica deveria incentivar rebeldia saudável e não a submissão, a inquietação e não o conformismo, a participação e não a quietude, a construção e não a servidão.

> **A mente pensa tolices, a emoção dá crédito a elas e o eu ingênuo paga a conta por não saber filtrá-las. A vida tão bela torna-se, assim, uma fonte de angústias.**
>
> **A. Cury, em *O código da inteligência***

O embrião da formação de pensadores começa na pré-escola e no ensino fundamental. É lá que promovemos ou enterramos os futuros pensadores. Nas universidades, apenas fazemos a "missa de sétimo dia".

Para decifrar o código do debate de idéias, é necessário:

1. Ser instigado a expressar seus pensamentos.
2. Ser provocado a questionar o conhecimento transmitido.
3. Ser estimulado a indagar seu processo de produção.
4. Conhecer a história básica do produtor de conhecimento, suas batalhas, dificuldades exploratórias, golpes de ousadias, fragilidades, preconceitos enfrentados, desafios vivenciados.
5. Ter intimidade com a arte da dúvida.
6. Aprender a expor e não impor suas idéias.
7. Jamais considerar seus paradigmas, conceitos, opiniões, idéias, como verdades absolutas.
8. Dar o direito para os outros confrontarem suas idéias.

9. Não ter a necessidade neurótica de estar sempre certo. Saber que a unanimidade de pensamentos é burra. A sabedoria está em respeitar nossas diferenças.
10. Trabalhar em equipe estimulando todos os participantes a expressarem suas idéias. No ambiente do debate, trocar conhecimentos, cruzar experiências, procurar caminhos, construir metas.

Os líderes são eternos aprendizes

É quase inacreditável que estudantes de psicologia não sejam estimulados a questionar e repensar as teorias de Freud, Jung, Skinner, Piaget e como foram produzidas. Como não decifraram o código do debate, muitos se identificam com uma teoria e a abraçam como se fosse verdade absoluta. Não sabem que a verdade é um fim inatingível na ciência.

Uma teoria serve como base para interpretarmos e entendermos um paciente, sua história e a gênese da sua doença, mas jamais para colocá-lo em uma masmorra conceitual nem muito menos no cárcere de um diagnóstico fechado.

Todo paciente tem o direito de questionar seus terapeutas, suas interpretações, a teoria que abraçam e o diagnóstico que recebem. Há psiquiatras e psicoterapeutas que não suportam serem questionados, criticados, indagados. São deuses tratando de seres humanos. Têm medo de perder o controle do "set" terapêutico. Não entendem que ao questioná-los, ainda que inadequadamente, seus pacientes estão exercendo uma saudável e importantíssima função da inteligência.

> **Somente quando temos intimidade com a arte das perguntas nos tornamos eternos aprendizes.**
> A. Cury, em
> *Pais brilhantes, professores fascinantes*

Independente da teoria que se abraça, todos os pacientes deveriam ser incentivados a decifrar os códigos universais da inteligência: a autocrítica, a gestão psíquica, o debate, a resiliência. Os pacientes que fazem questionamentos deveriam ser dignos de elogios. Se formos amantes da sabedoria, descobriremos que é melhor para a saúde psíquica um questionamento inadequado do que a submissão. Princípio válido para todas as relações humanas.

> **Muitos homens querem ser ricos, muitos ricos querem ser reis e muitos reis querem ser deuses, mas o único homem que foi chamado de filho de Deus quis ser homem.**
>
> A. Cury, em
> *O mestre dos mestres*

Há médicos que não admitem que seus pacientes sugiram um exame ou questionem o diagnóstico. Também são deuses tratando de seres humanos. Não levam a complexidade da psique de quem trata, seus temores secretos e conflitos latentes.

Há executivos que perseguem funcionários que não concordam com suas idéias e posição. Não admitem pessoas que pensam, querem servos. Confundem unanimidade de metas e unanimidade de pensamentos. Não entendem que abraçar metas unanimemente é importante, mas querer a unanimidade de pensamento é exercer uma ditadura. Não sabem estimular o cérebro do grupo, explorar o potencial de cada um dos liderados.

Quem não aprendeu a decifrar o Código do Debate de Idéias tem a necessidade compulsiva de estrelismo, de ser o centro das atenções. Quem aprendeu a decifrá-lo é capaz de instruir-se com seus alunos, pacientes e colegas de trabalho. Sabe que a vida é um livro insondável e só consegue desvendá-lo quem aprende a ser um eterno aprendiz...

Pais que geram eternos meninos

Há pais que também recusam terminantemente que seus filhos discutam suas ordens, questionem seus conceitos, debatam seus pontos de vista e moralidade. Não admitem que sua autoridade seja desafiada. Estão aptos a lidar com números e máquinas, mas pouco com seres humanos.

Pais que reconhecem seus erros ensinarão seus filhos a reconhecerem os deles. Os que têm a necessidade neurótica de estar sempre certos, bloqueiam o raciocínio, a argúcia, o humanismo e a segurança dos seus filhos. Terão chances de gerar filhos autoritários ou, ao contrário, frágeis.

Muitos filhos são agressivos, rígidos, só sabem falar impondo as idéias. Têm péssima capacidade de negociação. Não têm flexibilidade para obter algo. Não sabem esperar para conseguir um objetivo. Não sabem se colocar no lugar dos outros e nem respeitar o que os outros pensam e sentem. São também pequenos deuses querendo que todos gravitem em sua órbita.

De outro lado muitos filhos são monossilábicos, tímidos, inseguros. Dão respostas curtíssimas: "sim", "não", "tá", "é". Não deixam evoluir o pensamento, não deixam fluir o raciocínio, têm baixa auto-estima e autoconfiança.

Pais que debatem idéias com seus filhos, os estimulam a se colocar no lugar dos outros e a pensar antes de reagir, os preparam para serem atores sociais e não espectadores passivos.

O fenômeno RAM imprimirá janelas lights que desenharão uma imagem excelente da personalidade desses pais na matriz do psiquismo dos filhos. A relação pai-filho terá uma envergadura saudável. E quando for necessário colocar limites, ainda que os filhos não gostem desses limites, jamais deixarão de ser apaixonados por seus pais.

Temos de incentivar os jovens a decifrar o Código do Debate de Idéias para que tenham opiniões próprias, não sejam submissos e monitorados por pessoas e circunstâncias. Quem não aprende a decifrá-lo será sempre flutuante e excessivamente influenciável.

Gastam-se fortunas em todas as nações para combater o tráfico de drogas. Mas os governos desconhecem que a prevalência desses transtornos só ocorre porque o "Eu" é malformado, não tem filtro psíquico, não assume seu papel de autor da sua própria história. Percorrerá caminhos que não escolheu. Terá atitudes que não programou. Não saberá fazer suas escolhas. Será um eterno menino.

Possíveis conseqüências de quem decifra o Código do Debate de Idéias:

1. Torna-se seguro, determinado, resoluto, decidido.
2. Torna-se participativo, interativo, maleável, coerente.
3. É flexível, bom negociador, tem mais possibilidade de ter metas claras.
4. Deixa de ser instável e influenciável.
5. Tem órbita própria e opiniões definidas.

Possíveis conseqüências de quem não o decifra:

1. Torna-se inseguro, tímido, frágil.
2. Não deixa o raciocínio fluir. Contrai o imaginário.
3. É instável, mutável, inconstante, tem humor flutuante.
4. É excessivamente influenciável e hiperpreocupado com a opinião dos outros.
5. Hipoteca sua paz e liberdade com facilidade, consigna sua maneira de ser e agir.

Decifrando o Código do Debate de Idéias: exercícios

1. Expressar o que sente e pensa com respeito. Não ser submisso e nem marionete de ambientes e circunstâncias.
2. Treinar trabalhar em equipe: valorizar a força do grupo, colaborar, interagir, traçar objetivos, valorizar idéias mesmo que inaproveitáveis. Romper o processo de isolamento e promover a cooperação.
3. Estimular o cérebro do time, mais do que indivíduos. Provocar a inteligência dos membros e explorar seu potencial.
4. Exercitar-se sempre a expor e não impor as idéias. Tomar cuidado com o tom de voz, a pressão e a insistência. Esses fenômenos são sintomas de que impõem suas idéias.
5. Aprender a não ser monossilábico. Libertar o imaginário, deixar fluir o raciocínio.

Capítulo 15

Sexto código da inteligência: *Código do Carisma*

O Código do Carisma é o código da capacidade de encantar, envolver, surpreender, admirar, os outros e a si mesmo. É o código da afetividade, da amabilidade, afabilidade, do romantismo existencial.

O Código do Altruísmo é o segredo da paixão pela humanidade e o Código do Carisma é o segredo da paixão pela vida. Dificilmente desenvolvemos tranqüilidade, paz interior, serenidade e felicidade sem decifrar minimamente alguns dos enigmas desses dois códigos. Não falo da felicidade utópica, irreal, delirante, mas daquela que se constrói nos acidentes de percursos, na alternância dos eventos da vida.

Quanto mais um ser humano decifra o Código do Carisma mais se torna agradável, estimado, amado, procurado pelos seus mestres, alunos, avós, netos, líderes, liderados. Uma pessoa carismática e altruísta é diplomática, inspiradora, influenciadora.

Quem decifra o Código do Carisma vive melhor, ama mais, curte mais a vida. Supera o cárcere da rotina, rompe as tramas da mesmice. Entende que milhões de livros não decifram minimamente a existência. Questiona-se com freqüência "quem sou?", "o que sou?", "o que é o teatro do tempo?" Deslumbra-se com os mistérios da existência.

Quem não decifra o Código do Carisma, ainda que seja um intelectual ou um multimilionário ou uma celebridade, é uma pessoa sem sabor, chata, ególatra, complicada, desinteressante. Esquece que um dia irá para o caos de um túmulo como todo mortal e por isso deveria viver com mais suavidade e singeleza.

> O Eu representa a capacidade de escolha e a consciência crítica. Diariamente o "Eu" deve escolher sair da condição de espectador passivo das suas mazelas e misérias para ser diretor do roteiro da sua história. Nessa empreitada a palavra chave é: treinamento.
>
> A. Cury, em *Inteligência multifocal*

Quem não decifra esse código gosta de autopromoção, exalta exageradamente seus feitos e sua cultura. Não entende que tudo o que sabe é uma gota no oceano infinito do conhecimento. Desconhece que a humildade é o nutriente da maturidade. Reclama das mesmas coisas, reage da mesma maneira. Sua vida é entediada, engessada, rígida.

Quem não decifra o Código do Carisma não fica assombrado com os segredos da existência. Quem o decifra fica deslumbrado com o fenômeno da vida. Sente-se uma criança sempre à procura de coisas novas no complexo teatro do tempo. Não tem tempo para reclamar.

Celebridades doentes

Há pouco tempo, meu motorista disse que no passado transportou algumas celebridades do mundo da música. Comentou que elas freqüentemente entravam no carro sem saber que ele existia, sem cumprimentá-lo ou dar-lhe a mínima atenção. A vida dessas celebridades estava nas mãos desse ser humano que dirigia o carro, um acidente seria fatal. Mas a fama as infectou, o sucesso bloqueou os frágeis códigos da inteligência.

Quem despreza a grandeza das pessoas simples não é digno de ser uma celebridade. Quem se coloca acima dos outros é emocionalmente infantil, vítima dos holofotes da mídia. Um dia, quando visitarem os vales do anonimato nem eles se suportarão. Não sabem que raramente dura mais que cinco anos.

Certa vez, eu estava dando uma conferência em um teatro enorme, mas houve um problema no computador e um funcionário o estava operando manualmente debaixo da mesa que estava no centro do palco. Quando o vi, pedi desculpas à platéia, interrompi minha preleção e solicitei que ele se sentasse na cadeira.

Mas ele não queria se sentar nessa posição, pois achava que poderia atrapalhar a conferência. Mas lhe disse que ele era tão importante quanto eu. Que não continuaria dando a conferência com ele debaixo da mesa. As pessoas reagiram com aplausos, pois todos amam ser valorizados.

> **O pensamento mais conhecido do mundo é "Amar o próximo como a si mesmo". Poucos entendem que ninguém pode amar profundamente seus filhos, cônjuge e amigos se primeiramente não for apaixonado pela sua vida. Só quem tem um romance com a própria história poderá amar a história dos outros.**
> **A. Cury, em**
> ***Os segredos do Pai Nosso***

Algumas pessoas não compreendem por que procuro agradecer às pessoas que me servem. Não faço isso como esforço para ser humilde, mas porque de fato elas são dignas de reconhecimento. Já tratei de celebridades e de pessoas riquíssimas, mas tive o privilégio de entrar na história de pessoas simples e descobrir que são estrelas vivas no teatro da existência.

Mesmo um psicótico tem uma criatividade indecifrável. Basta sair do superficialismo e perguntar-lhe como se forma uma alucinação. Como em bilhões de opções os fenômenos que estão nos bastidores da mente acessam a complexa memória e produzem idéias delirantes. Só não consegue se encantar com o ser humano quem é escravo dos seus preconceitos.

Para decifrar o Código do Carisma é necessário aprender as seguintes ferramentas:

1. Elogiar quem está próximo.
2. Exaltar e agradecer às pessoas com funções simples, mas fundamentais para a preservação da vida, como cozinheiros, garçons, porteiros, seguranças.
3. Ter prazer com o sucesso dos outros.
4. Ter prazer em ser altruísta.
5. Ter um romantismo com a vida.
6. Reciclar o ciúme oculto, a inveja sutil.
7. Romper o cárcere do tédio. Surpreender a si e aos outros.
8. Aprender a valorizar o que se tem e não o que não tem.

Gato e rato até que decifram o Código do Carisma

Minhas duas filhas menores, hoje adolescentes, pareciam gato e rato até os 12 anos. A diferença entre as duas é de menos de um ano. Raramente vi duas crianças brigarem tanto e com tanta freqüência. Eram egoístas, especialistas em disputar uma com a outra, não sabiam dividir seus pertences, nem mesmo um mísero batom.

Não aprenderam essas características comigo nem com minha esposa. Como eu já disse, o egoísmo, o personalismo, o egocentrismo, não precisam de modelos para se desenvolver. São características que se desenvolvem ao sabor do instinto de sobrevivência, são tecidas espontaneamente no processo de formação da personalidade.

> **Pessoas saudáveis têm mais condições de contribuir para formar pessoas saudáveis. Pessoas flexíveis e com auto-estima elevada têm mais condições de educar pessoas livres e bem humoradas.**
> **A. Cury, em**
> ***12 Semanas para mudar uma vida***

Estava preocupado com o comportamento delas, pois vi muitos irmãos construindo péssimas relações como adultos porque não aprenderam a superar seus ciúmes, diferenças, disputas agressivas. Sabia que era insuficiente ser um manual de regras e de ética e nem muito menos um educador que colocava limites. Era necessário ajudá-las a tecer a colcha de retalhos da personalidade delas com o Código do Carisma, do altruísmo e do debate de idéias.

Foi o que fiz pouco a pouco, momento após momento. Para debelar o sentimento de inveja, que é comum na adolescência, mas que não pode cristalizar-se na vida adulta, estimulei-as a terem prazer com a felicidade uma da outra, a descobrirem a alegria de dividir e o regozijo de elogiar a outra quando merecessem. Encorajei-as a comprar pequenos presentes, lembranças, uma para a outra.

Para alicerçar o Eu como gestor da psique de maneira singela, levei-as a aprender a se colocar no lugar uma da outra, a pensar antes de reagir e a ter coragem de reconhecer suas falhas e reciclar a necessidade de estarem sempre certas. Mostrei que a sociedade não precisa de heróis, mas de pessoas humanas.

Encorajei-as a não terem medo de pedir desculpas quando errassem. E para sair do campo teórico, eu mesmo pedi várias vezes desculpas a elas quando me exasperei ou levantei a voz desnecessária e desproporcionalmente. Em vez de perder minha autoridade, eu crescia dentro delas à medida que me diminuía fora delas.

Os insensíveis não têm sentimento de culpa, os hipersensíveis o têm exacerbado. Os insensíveis não sentem a dor dos outros, os hipersensíveis a sofrem como se fossem sua. Os insensíveis são algozes dos outros, os hipersensíveis são carrascos de si mesmos.
A. Cury, em *Seja líder de si mesmo*

Comentei que quando se tornassem adultas, poderiam precisar muito uma da outra. Dei uma série de exemplos de irmãos ajudando irmãos ou se afastando uns dos outros. Tenho muitos defeitos como ser humano, mas plantei sementes como educador. Um semeador quando sepulta suas sementes não sabe quais serão os resultados. Mas freqüentemente são surpreendentes.

Minhas filhas têm me surpreendido pela sua amabilidade e generosidade. Os atritos que eram de hora em hora, passaram a ser de semana em semana e depois de mês em mês. Hoje raramente se atritam e quando o fazem, logo se reconciliam. Elas se elogiam, se procuram, se amam. Têm aprendido o prazer de se doar e dividir seus sentimentos.

São apaixonadas uma pela outra e se consideram, junto com minha filha mais velha, as melhores amigas, embora tenham muitas outras. Quem as vê conversando, brincando, fazendo programas, se encantam. Raramente vêem irmãs tão unidas. Mas uma coisa me deixou particularmente feliz. Um dos seus professores disse que elas poderiam ser muito orgulhosas, mas estavam entre as garotas mais humildes e carismáticas da escola.

Servos dos filhos

Carisma é fundamental tanto para existirmos quanto para nos relacionarmos. Existem dois tipos de carisma, o social e o psíquico. O carisma social é encantar as pessoas, surpreendê-las, envolvê-las. O carisma psíquico é ter um romance com a própria vida, curti-la, desfrutá-la prazerosamente. O Código do Carisma pode ser conquistado e perdido ao longo do traçado da existência.

O silêncio é a oração dos sábios. Sem a oração do silêncio é impossível pensar antes de reagir. Sem pensar antes de reagir é impossível não cometer erros crassos.
A. Cury, em
O mestre da vida

Há pais que nunca elogiaram seus filhos, mas querem receber elogios deles. Raramente os beijam, mas querem receber afeto deles. Raramente foram compreensivos com os desacertos deles, mas exigem deles uma mente compreensiva. Querem o retorno do que não ensinaram.

Um pai carismático procura instigar, brincar, viver aventuras com seus filhos. Em alguns momentos, é um palhaço; em outros, um mestre; em alguns momentos, é paciente; em outros, é exigente. Sabe que há momentos para disciplinar e cobrar e outros para se doar e abraçar. São dosados, maleáveis.

De outro lado, há filhos que jamais aprenderam a agradecer a seus pais pelo alimento sobre a mesa, a escola que freqüentam, as roupas que vestem, mas querem que seus pais reconheçam seu valor. Tudo que recebem, pensam eles, é mera obrigação de seus pais. Sim, seus pais têm o dever de dar suporte para que sobrevivam, mas eles têm o direito de agradecer o que recebem.

> **Nas relações desiguais (psicoterapeuta-paciente, professor-aluno, executivo-funcionário) é fácil para os que estão em uma posição superior silenciar os que estão em uma posição inferior. Quem usa o poder para impor suas idéias não é digno do poder do qual está investido.**
> **A. Cury, em**
> ***O código da inteligência***

Quem não decifrar a arte de agradecer dificilmente será uma pessoa carismática, encantadora, apaixonada pela vida. Pais que não ensinam a seus filhos a arte de agradecer cometem um erro educacional grave. Serão servos desses filhos, vassalos dos seus feudos.

Inteligência carismática é inesquecível

Um empresário ou executivo carismático desperta fascínio e respeito em seus funcionários. Mas os que são arrogantes despertam inveja e repúdio. Um líder mesquinho em distribuir elogios dificilmente criará vínculos com seus liderados, raramente explorará o potencial neles represados.

Quais professores são inesquecíveis pelos alunos? Não são os mais cultos e nem os mais eloqüentes, mas são os que mais encantam e são admirados. Obviamente há exceções, mas freqüentemente são esses que mais influenciam a personalidade dos seus alunos. São os que na visão de Immanuel Kant formam o homem de entendimento, depois o homem de razão, e, finalmente, o homem de instrução, o aplicador do conhecimento aprendido (Duarte, 1993).

O homem do entendimento é formado, em primeiro lugar, pela personalidade do mestre, em segundo lugar pelo conhecimento que transmite. A educação que forma seres humanos completos é a educação que lapida consciência de si e do papel social, que não desiste, que cria vínculos, apóia e contribui, inclusive com os que nos decepcionam.

Certa vez, ao dar um curso para professores universitários das mais diversas áreas, como sociologia, psicologia, administração, pedi aos participantes jamais abandonarem os alunos que vivem às margens da classe. Comentei que um bom professor valoriza quem tira as melhores notas, enquanto que um excelente também valoriza e cria vínculos com os que estão nos últimos lugares.

Comprometeram-se maciçamente em dar atenção aos que perturbam o ambiente, são relapsos, têm péssimo rendimento intelectual e vivem alienados. Certamente, farão a diferença no teatro da educação, prevenirão muitos transtornos psíquicos, inclusive suicídios e violência social.

Nos EUA, segundo relatos, 1% da população adulta está encarcerada. Esses números são assombrosos. No Brasil, quem não está encarcerado em prisões, está encarcerado em suas casas e escritórios com alarmes e sistemas de segurança. No belo aeroporto de Frankfurt, pode-se ouvir freqüentemente a advertência para proteger bagagens e bolsas. Vivemos em um mundo inseguro que precisa de um choque dos códigos da inteligência.

> **Se a sala de aula for um monólogo onde um fala e todos escutam, formaremos repetidores de idéias. Se a sala de aula for um teatro onde professores e alunos são atores coadjuvantes da produção de conhecimento, formaremos pensadores.**
>
> **A. Cury, em**
> ***Pais brilhantes, professores fascinantes***

O educador que forma pensadores não é o que controla, mas o que liberta; não é o que pune, mas o que encoraja; não é o que desanima, mas o que estimula a começar tudo de novo. Não é o que distribui conselhos previsíveis, mas o que surpreende.

Quem aprender a decifrar o Código do Carisma na sua instituição, escola ou empresa encontrará um tesouro que reis não possuíram. Deixe-me dar o exemplo de um rei que se desmoronou porque colocou à venda seu maior tesouro.

Perdendo o carisma: deixando de se surpreender

O rei judeu, Salomão, um grande sábio, fez um diagnóstico pessimista sobre a vida: *tudo é vaidade. Nada de novo ocorre debaixo do sol.* Para ele, o ser humano estava condenado à masmorra da mesmice. Por mais culto que seja, por mais conquistas que tenha, será aprisionado no cárcere do tédio sem grande sentido existencial.

> Uma pessoa é tanto mais madura não quanto mais julga os outros, mas quanto mais julga a si mesma. Não quanto mais critica os comportamentos dos que a rodeiam, mas quanto mais se coloca no lugar delas.
> A. Cury, em
> *12 Semanas para mudar uma vida*

Mas será que o rei Salomão tem razão? Será que no fundo tudo se repete e se torna uma fonte de tédio? Será que o ser humano está destinado a ter a felicidade como eterna ilusão? Será que o sorriso do palhaço será sempre um disfarce? Será que o prazer de viver se esgota pouco a pouco da meninice à velhice?

Salomão era uma pessoa carismática, envolvente, agradável. Reis e súditos, sábios e príncipes o admiravam. Mas cometeu um erro gravíssimo. Como todo rei, se envolveu em excesso de atividades. E de modo particular não converteu seu carisma social em carisma psíquico. Era grande no teatro social, mas se apequenou no teatro emocional. Deixou de se surpreender, de ter um romance com sua existência.

Seu maior erro e que facilmente cometemos, é que imprimiu um ritmo de prazer fundamentado nos grandes eventos, nos grandes jantares, reuniões de cúpula, palácios, vestes deslumbrantes, carruagens. Na linguagem de hoje, viveu no rigor da moda e embriagado com bens materiais. Caiu em uma insidiosa armadilha psíquica.

Subliminarmente construiu uma plataforma de janelas doentias na grande cidade da memória. Saturou-se de tédio. Nada o encantava. Envelheceu não sendo velho. Perdeu o prelúdio do mundo, o charme da brisa, a graça do sorriso de uma criança. Escreveu um livro belíssimo, mas de um pessimismo sem precedente. Tudo se tornou uma fonte de vaidade.

Sua emoção deixou de se excitar com a grandeza das coisas pequenas, um risco altíssimo para desenvolver depressão. O homem admirável esfacelou o sentido da vida. Deixou de decifrar o Código do Carisma, sua existência tornou-se um peso e não uma aventura. Era ainda um homem inteligente, mas chafurdou na lama do tédio, tornou-se um ser humano mórbido, uma celebridade emocionalmente doente.

Possíveis conseqüências de quem decifra o Código do Carisma:

1. Torna-se uma pessoa agradável e envolvente, encantadora.
2. Inspira os que estão próximos, estimula positivamente a inteligência deles.
3. Torna-se facilmente um líder nos ambientes que freqüenta, ainda que não tenha cargo de destaque.
4. Rompe o cárcere do tédio, vive a vida com mais aventura e deleite.
5. Valoriza muito mais o que tem do que o que não tem.

Possíveis conseqüências de quem não o decifra:

1. Vive entediado, ensimesmado, preso nas tramas da mesmice.
2. Torna-se insatisfeito, irritadiço, infeliz. O sucesso e a felicidade dos outros o perturba.
3. Reclama excessivamente, atitude pessimista diante da vida.
4. É vítima do ciúme e da inveja.
5. Não encanta e nem causa admiração nas pessoas.

Decifrando o Código do Carisma: exercícios

1. Ter prazer em elogiar e contribuir com os outros.
2. Surpreender a si e aos outros. Valorizar e agradecer a todas as pessoas que contribuam com você.
3. Não se deixar enredar pelo ciúme e pela inveja. Ter prazer com o sucesso dos outros e dentro do possível procurar contribuir com eles.
4. Valorizar as pequenas coisas. Jamais desprezar os pequenos começos e as pequenas coisas.
5. Cultivar diariamente um romantismo pela vida.

Capítulo 16

Sétimo código da inteligência: *Código da Intuição Criativa*

O Código da Intuição Criativa é o código que liberta o imaginário, expande a inventividade, produz novos conhecimentos, refina o olhar multifocal diante dos fenômenos físicos, psíquicos e sociais para vê-los sob múltiplos ângulos. É o código que alicerça o processo de observação, dedução, indução, raciocínio esquemático.

Não é um código mágico e/ou supersticioso, mas é o código que nos faz ousar, arriscar, atrever, aventurar, que nos anima a andar por trajetórias nunca antes traçadas, por aventuras nunca antes programadas.

Esse código financia os insights, as sacadas, as descobertas imediatas, os estalidos intelectuais. Ele nos dá subsídios para produzir soluções não vistas e saídas não enxergadas.

Carl Gustav Jung pode ser considerado o primeiro psicólogo transpessoal. Ainda que Freud e muitos dos seus discípulos tenham ido muito a fundo nas suas revisões da psicologia ocidental, atingindo os limites do paradigma cartesiano na psicologia, apenas Jung questionou radicalmente os fundamentos da visão de mundo lógica de Descartes e Newton (Jung, 1961).

Jung salientou, de modo convincente, aspectos não-racionais e não-lineares da psique, que inclui o misterioso, o criativo e o espiritual como meios válidos, ou formas intuitivas de conhecimento.

> Nos primeiros trinta segundos de tensão cometemos os maiores erros de nossa vida. A sabedoria recomenda que quando somos contrariados, não deveríamos estar debaixo da ditadura da resposta, mas no oásis do silêncio.
>
> A. Cury, em *Os segredos do Pai Nosso*

No livro *Maria, a maior educadora da História*, comentei que para educar o menino Jesus sem manual de regras e sem apoio de educadores e filósofos e, ainda por cima, correndo o risco de ser apedrejada e passando por privações e humilhações ao fugir para o Egito, Maria teve de usar muitíssimo a sua intuição criativa. Caso contrário, não transcenderia seus obstáculos, não sobreviveria física ou psiquicamente.

Imagine uma jovem de 15 anos, anunciada para ser a mulher das mulheres, de repente tendo no seu encalço soldados destilando sangue nas mãos. Como entender o inexplicável? Como suportar ser chamada para ser a mais elogiada das mulheres e no traçado de vida ser tratada como uma das mais miseráveis? Poderia pensar que sua missão fosse um delírio, desenvolver depressão e se perder nas tramas do medo e da insegurança.

Todavia, para surpresa da psicologia, a mãe do menino mais complexo que pisou nessa terra, esvaziou-se dos seus preconceitos, aceitou o inadmissível, libertou seu imaginário e usou sua intuição criativa não para reclamar mas para encontrar soluções. Não é à toa que uma adolescente foi escolhida para um papel no qual notáveis fariseus e filósofos gregos provavelmente falhariam.

Arrisco-me a dizer que um dos grandes motivos de sua escolha foi porque decifrava os códigos do altruísmo, da resiliência, do carisma e do Eu como gestor psíquico desde a sua meninice. Se não os tivesse decifrado não teria sobrevivido, não teria se tornado insubstituível.

Quem quer decifrar o Código da Intuição Criativa deve aprender as seguintes ferramentas:

1. Fazer um mergulho introspectivo e abrir o máximo de janelas da memória diante dos seus focos de tensão.
2. Expandir o uso do pensamento multiangular tanto ou mais do que o do pensamento dialético.
3. Não cair na armadilha dos paradigmas rígidos, das soluções prontas e das respostas fechadas.
4. Ser resiliente. Enxergar o caos como oportunidade criativa.
5. Desengessar a mente humana. Ter coragem para percorrer caminhos inexplorados.
6. Não ter medo de pensar diferente.

Os melhores alunos no teatro social: a grande surpresa

Mas quem decifra a sua intuição criativa? Somos treinados para dar respostas fechadas, começando pelas provas escolares. Existe uma idéia acadêmica falsa sustentando que os melhores alunos são os que tiram as melhores notas, os que registram com mais exatidão as informações nas provas.

O conformista não batalha pelo que ama por medo da rejeição. Não expande seu espaço por medo da crítica. Prefere ser vítima a agente modificador da sua história. Prefere ser amante da insegurança a parceiro do entusiasmo.

A. Cury, em *O código da inteligência*

Esse conceito pode ser uma verdade para os anais da escola clássica, mas não para a escola da existência, a escola social. Os melhores alunos no teatro social são os que aprenderam a decifrar intuitivamente os códigos da inteligência. São os que expressam seus pensamentos, ousam, criam, inventam, imaginam. São os que caem, levantam e não desistem de caminhar. São os que encantam, envolvem, lideram.

Um dia desses, uma de minhas filhas me disse que em sua escola os alunos são classificados pelas notas. E o que é pior, na porta da classe fica afixada a lista de classificação deles. Fico pensando no conflito que essa escola está causando nos alunos que estão nos últimos lugares. Procurarei orientá-los.

Alguns acham que desde os primeiros anos de escola eu tinha uma mente brilhante. Não conhecem meu passado. Como relatei no livro *Nunca desista dos seus sonhos,* quando estava no ensino médio minha nota era a segunda da classe, só que de baixo para cima. Ninguém apostava em mim, ninguém acreditava em mim e ninguém achava que eu faria uma universidade ou se fizesse me tornaria grande coisa. Eu dava motivos de sobra para pensarem assim.

Além de minhas notas serem péssimas, não anotava nada que os meus professores transmitiam em sala de aula. Meus colegas diziam que tive apenas um caderno nos três anos de ensino médio. Vivia alienado. Nem os botões da minha camisa eu abotoava certo. Era um especialista em viajar em minha mente e produzir idéias desconectadas com a sala de aula. Mas tive um sonho, o sonho de fazer medicina e ser um cientista. Parecia um delírio para muitos. Mas quando os sonhos são projetos de vida, eles mudam nossa história; quando os sonhos são apenas desejos superficiais de mudança, não têm impacto em nossa história.

O tempo é o melhor remédio para aproximar os que se odeiam e distanciar os que se amam. Dependendo de como lidamos com o tempo, ele será um grande amigo ou um grande inimigo.
A. Cury, em
O vendedor de sonhos II — A missão

Aprendi a fazer a mesa-redonda do eu. Reuni-me intuitivamente com meu desleixo, alienação, falta de concentração, baixa autoestima, sentimento de incapacidade. Repensei minha história, reinventei minha trajetória. A mesa-redonda do eu me fez gestor do meu intelecto e me levou a reunir o fenômeno do sonho com o fenômeno da disciplina, do treinamento, da transpiração. Fiz uma excelente descoberta. Descobri que os sonhos sem treinamento produzem pessoas frustradas e treinamento sem sonhos produz pessoas autômatas, que obedecem a ordens e não pensam.

Comecei a estudar mais de 12 horas por dia para entrar na faculdade de medicina. O que ninguém acreditava aconteceu. Entrei na faculdade. Desejei não ser um médico comum, queria entender não apenas as doenças cardíacas, pulmonares, hepáticas, mas como os pacientes pensavam, como desenvolviam sua personalidade, como construíam suas zonas de conflitos, como construíam suas fobias, sua ansiedade, seu humor depressivo. Como um desesperado, queria saber também porque algumas pessoas saíam do rol dos comuns e produziam o fantástico mundo das idéias.

Pensava, escrevia, refletia. Acumulava cadernos e mais cadernos em uma era em que havia poucos computadores. No sexto ano de medicina, passava mais de quatro horas no diretório acadêmico escrevendo em minha velha máquina sobre psicologia e filosofia da mente. Parecia loucura meu projeto, mas havia libertado o pensamento multiangular, não conseguia deixar de criar, construir, imaginar.

Os professores são profissionais mais importantes do que os psiquiatras e os juízes. Lavram os solos da inteligência dos alunos para que não adoeçam e não sejam tratados pelos psiquiatras, para que não cometam crimes e não sejam julgados pelos juízes.

A. Cury, em

Pais brilhantes, professores fascinantes

Meus colegas não entendiam meu sonho, mas ele me controlava. Minha esposa, que era também uma estudante de medicina, também não me entendia. Eu já estava casada há um ano. Eu era um dos mais "duros" alunos da faculdade, não tinha dinheiro para ir ao cinema e restaurante. Mas não reclamava. Logo após conhecê-la, consegui levá-la para tomar um suco em uma lanchonete. De repente, caiu um papel amassado do meu bolso, com minhas anotações.

Ela perguntou-me do que se tratava. Um pouco constrangido, disse que estava escrevendo sobre o comportamento humano e que pensava em escrever uma nova teoria psicológica sobre o funcionamento da mente. Ela levou um susto. Torceu o nariz. E deve ter se perguntado: "em que fria estou entrando?" Como o amor é ilógico, namoramos. Na época do namoro, não tinha carro, a levava de ônibus para casa. Não havia glamour. Certa vez, seu pai me convidou para almoçar em sua casa, e, envergonhado, não aceitei. Fui para casa, mas só tinha uma moeda no bolso para comer. Comi apenas um pão seco. Nunca mais me esqueci daquele delicioso pãozinho.

Por fim, ela se casou com esse excêntrico estudante de medicina. Certa vez, fez uma limpeza na casa, e como ainda não valorizava meus escritos, jogou sem perceber no lixo vários cadernos meus de anotações. Ela sabia que eu não conseguia parar de pensar. Sabia que eu fazia o que amava. Vivia um campo fértil, mas saturado de tempestades. Mas aprendi que os perdedores vêem os raios e os vencedores vêem no mesmo ambiente a chuva e com ela a oportunidade de lançar suas sementes.

Passaram-se mais de dezessete anos, e eu havia escrito milhares de páginas sem nenhuma convicção de que um dia seriam publicadas. De fato, ninguém quis publicá-las. Foi uma peregrinação de editora em editora. Não tive apoio de nenhum escritor, pois não conhecia nenhum deles. Aliás, conheci rapidamente um que me virou as costas. Não tive apoio de nenhum amigo ou parente, pois ninguém conhecia uma editora e nem como publicar livros.

A maior tarefa de um ser humano é ser líder de si mesmo e a maior tarefa de um líder é sair da platéia, entrar no palco da sua mente e ser autor da sua história.
A. Cury, em
Seja líder de si mesmo

Os textos eram complexos, não havia traduzido em palavras simples e nem havia feito aplicações práticas na psicologia, pedagogia, sociologia, como faço hoje. Depois de um longo tempo de espera, finalmente publiquei meu primeiro livro, Inteligência multifocal, mas me decepcionei. Quase ninguém entendeu o que escrevi. Então, resolvi traduzir em conceitos mais compreensíveis e aplicações práticas; resolvi democratizar a teoria.

Vinte anos depois, em um sábado à tarde, eu e minha esposa coincidentemente estávamos na mesma lanchonete em que ela levara um susto ao ficar sabendo que eu estava escrevendo sobre a mente humana. Nunca mais entráramos naquele lugar, pois tínhamos mudado de cidade. Justamente naquele dia havia saído uma grande reportagem em um importante jornal de circulação nacional dizendo que eu era o escritor mais lido do país. Comentando que milhões de pessoas em várias nações liam minhas idéias. Relato esse fato com muita humildade.

Meus olhos se encheram de lágrimas. Comecei a recordar os anos em que decifrei o Código da Resiliência. Foram muitas noites de insônia, rejeições, incompreensões e dificuldades quase intransponíveis, mas sobrevivi. Sempre tive a convicção, ao estudar o teatro da mente humana, e muito mais hoje, ao escrever O código da inteligência, que ninguém é maior ou melhor do que ninguém. Cada ser humano é um mundo insondável a ser desvendado, mesmo os que vivem a margem da sociedade. Como veremos, cada ser humano pode desenvolver o raciocínio histórico-social, histórico-psíquico, gerencial, esquemático e ir mais longe do que eu.

> O *Homo sapiens* aprendeu a atuar no teatro social com brilho, mas não no teatro psíquico para filtrar estímulos estressantes, gerir seus pensamentos, proteger sua emoção. Somos tímidos espectadores onde deveríamos ser ágeis atores.
> A. Cury, em
> *O código da inteligência*

Já escrevi 24 livros e me alegro não com a fama, mas em ser útil, em saber que diversos profissionais estão aplicando-os em sala de aula, nos consultórios de medicina e psicologia e na área de recursos humanos. Meus experientes editores dos EUA ficaram tão empolgados com a teoria que desenvolvi que exageradamente queriam usar uma propaganda que não aprovei, mas que tinha esse conteúdo "como a Psicologia Multifocal pode salvar a América".

Não gosto dos holofotes da mídia, pois sou um mero passante no teatro do tempo. Como digo no Vendedor de sonhos, "sou um eterno aprendiz que no traçado da história tenta entender quem sou. Sou apenas um caminhante a procura de mim mesmo". Há pessoas muito melhores e mais inteligentes do que eu.

O que quero enfatizar é que era o mais alienado aluno da minha escola e por fim passei a ser lido por intelectuais, utilizado em universidades e teses acadêmicas. Entre algumas homenagens que me deram, recebi o título de membro de honra de uma academia de gênios de um instituto europeu. Eu, um gênio? Um membro de honra entre os gênios? Não creio. Eles não conhecem meu passado. Brinco dizendo que eu engano muito bem.

Brincadeira a parte, comentarei posteriormente que cada ser humano tem uma genialidade que ultrapassa os limites do código genético e que pode ser trabalhada, lapidada, esculpida, pelos códigos da inteligência. Nunca devemos desprezar um aluno, por mais que nos decepcione. Nunca devemos excluir ou rotular um estudante por pior desempenho que tenha nas provas escolares.

Se fizermos uma enquete para ver quais são os alunos que melhor se saíram fora do ambiente escolar, não encontramos uma relação completamente lógica com aqueles que tiraram as notas altas na escola clássica. Claro que é importante tirar notas excelentes. É importante estudar e assimilar. A quantidade de informações é uma das variáveis para o êxito. Mas a qualidade e a utilização multifocal delas são mais importantes. Devemos ter claro que o aproveitamento nas provas é insuficiente para ser inventivo, versátil, seguro, competitivo, arrojado, determinado.

> Alguns escalam íngremes montanhas, mas se intimidam diante dos cumes das suas frustrações. Outros navegam na voragem do mar, mas afundam aos primeiros vagalhões das suas angústias. Tornaram-se grandes aventureiros no mundo físico, mas frágeis caminhantes no mundo psíquico.
>
> A. Cury, em *12 Semanas para mudar uma vida*

As provas escolares não avaliam os complexos Códigos da Autocrítica, da Resiliência, do Carisma, do Debate, do Altruísmo, da Intuição Criativa, apenas avalia os dados objetivos. A utilização errada das provas pode destruir pensadores. Não avaliam os fenômenos intrínsecos da mente humana que são essenciais para quem quer sobreviver com saúde e competência no teatro social. Elas não avaliam os cinco grandes tipos de raciocínios não lineares. Só avaliam um tipo, o lógico-matemático. O que indica que essa avaliação é parcial, desastrosa e pode ser destrutiva. Vejamos.

Três tipos de pensamentos: a escolha errada

A partir de agora, comentarei um dos maiores erros no processo de formação de pensadores ocorrido na história. As sociedades e as escolas, incluindo as universidades, elegeram, sem ter consciência dessa eleição, o pensamento mais pobre e restritivo no processo de aprendizagem para desenvolver o intelecto humano e suas múltiplas formas de raciocinar, pensar e criar. Elegeram erradamente porque não sabiam que existia mais de um tipo de pensamento.

As brilhantes teorias psicológicas, como a de Freud, Jung, Skinner e Piaget, não estudaram sistematicamente quais são os tipos de pensamentos que se encenam no teatro psíquico e como se processa a sua complexa construção. Essas teorias usaram o pensamento para discorrer sobre a personalidade, as doenças psíquicas, o aprendizado. Os grandes pensadores pouco usaram o pensamento para pensar o pensamento.

> **Um ser humano sem história é um livro sem letras, uma foto sem imagem, um rio sem nascente. Com lágrimas ou júbilo, acertos ou falhas, nossa história é um tesouro insubstituível...**
>
> **A. Cury, em**
> ***Treinando a emoção para ser feliz***

Se analisarmos dia e noite, mês após mês, como funciona nossa mente e registrarmos toda essa análise, é possível concluir que existem pelo menos três grandes tipos de pensamento. Dois conscientes e um inconsciente. O pensamento inconsciente é chamado na Psicologia Multifocal de essencial. Os outros dois conscientes são chamados de antidialético e dialético.

Antes de descrevê-los devemos nos lembrar de que a memória do córtex cerebral não se abre completamente a todo momento, mas por territórios específicos de leitura, por grupos de janelas. O córtex tem milhões de janelas e cada janela contém pelo menos milhares de experiências e informações. Através das janelas nós interpretamos os estímulos, vemos a vida e reagimos aos eventos.

Quanto maior o número de janelas abertas maior será a dimensão do raciocínio. Se o número de janelas for restrito, podemos transformar uma barata em um dinossauro, um elevador em um cubículo sem ar, um conflito entre palestino e judeu em um fenômeno intransponível. Podemos não resolver atritos, conflitos, relações tensas. Eis a grande questão.

O problema é que o pensamento usado na educação e comunicação social, o pensamento dialético, é apoiado em um número reduzido de janelas. O uso excessivo do pensamento dialético travou a inteligência humana. Só alguns vencem esse bloqueio e brilham como pensadores.

> Quem olha para baixo vê o mundo do tamanho dos seus passos. Quem olha para o alto vê o mundo espetacularmente grande, um mundo de oportunidades para ser explorado.
>
> A. Cury, em *O mestre inesquecível*

A magnífica construção

O termo dialético aqui usado não tem o mesmo significado de determinadas teorias filosóficas. Dialético significa aqui a construção estrutural do pensamento a partir de um sistema de símbolos definidos, lógicos, formatados, em especial dos símbolos da língua.

O pensamento dialético é aquele pensamento que se processa em nossa mente através de uma voz inaudível, silenciosa, definida. É possível que esse tipo de pensamento inicie sua formação na vida intra-uterina, mas acelera essa construção a partir da vida extra-uterina, quando o bebê tem contato com a linguagem ou códigos lingüísticos.

Depois de milhares ou milhões de códigos lingüísticos, contendo palavras, verbos, substantivos, e inúmeras associações e significados, arquivados nas janelas da memória pelo fenômeno RAM, entram em cena outros fenômenos inconscientes que começam a ler espontaneamente esses arquivos e processar a construção do pensamento dialético. Esse pensamento é freqüentemente unifocal — enfoca apenas um ângulo — por isso também o chamo de pensamento uniangular.

No caso dos surdos, a formação desse tipo de pensamento se processa a partir da linguagem dos sinais visuais. Através dos pensamentos dialéticos temos realizado a maior parte das tarefas intelectuais, produzimos idéias (cadeias de pensamento), descrevemos intenções, discorremos situações, processamos leitura, estabelecemos diálogos.

> Por que as sociedades modernas estão se tornando uma indústria de pessoas doentes? Porque o sistema educacional está doente. Quanto pior a qualidade de educação, mais importante será o papel da psiquiatria e da psicologia clínica neste século.
>
> A. Cury, em
> *O vendedor de sonhos*

Portanto, os pensamentos dialéticos representam um sistema de código lingüístico mental aprendido a partir do sistema de código lingüístico sonoro ou visual. Esse sistema é facilmente traduzido em palavras, gestos, textos, muito mais fáceis do que os pensamentos antidialéticos.

Enfatizo, como o número de janelas que dão sustentabilidade para os pensamentos dialéticos é reduzido, também será reduzida a dimensão dos diálogos, da interpretação dos textos, das idéias. Levarão em conta um ângulo, um ponto de vista, um cenário, enquanto que o ideal é que levasse em conta múltiplos ângulos.

O outro pensamento consciente é chamado de antidialético ou multiangular ou multifocal. Como o próprio nome indica, não tem uma linguagem definida, formatada, fechada. Ele começa a ser formado mais cedo do que o dialético, dentro do útero materno e se expande na vida extra-uterina, em especial quando temos contato com o universo das imagens, percepções.

Usamos os pensamentos antidialéticos para decifrar sentimentos, aspirações, sensações, experiências complexas, para imaginar, fantasiar, produzir imagens mentais. O número de janelas em que se apóia o pensamento antidialético é muito maior do que o dialético. Por isso o chamo também de multiangular, pois nos faz ver os fenômenos por vários ângulos ou focos.

Às vezes estamos angustiados. Sabemos disso pelo pensamento multiangular, mas quando tentamos descrever nossas angústias através das palavras, portanto dialeticamente, freqüentemente as pessoas não nos entendem.

Quantas vezes tentamos explicar nossos conflitos, temores, preocupações, e não conseguimos nos fazer entender? É muito difícil fazer com que as pessoas entendam o mundo anticódigo ou sem símbolos das emoções, dúvidas, frustrações, mágoas. Nós usamos palavras de forma unifocal e esperamos que quem nos ouve enxergue as várias facetas dos nossos sentimentos. Tarefa complexa para uma mente que não aprendeu a linguagem multiangular.

A sabedoria de um ser humano não está no quanto tem consciência de que sabe, mas do quanto tem consciência de que não sabe. A consciência da própria ignorância é o primeiro passo em direção à sabedoria.

A. Cury, em
O futuro da humanidade

Um quadro de pintura mental

Para entender melhor os três tipos de pensamento, imagine um quadro de pintura com mar, ondas, nuvens, sol. Sabemos que uma imagem vale mais que mil palavras.

Figurativamente falando, podemos dizer que a imagem do quadro com toda a sua estética é o pensamento antidialético ou multiangular. A descrição da imagem é o pensamento dialético. O pigmento da tinta é o pensamento essencial.

O pensamento multiangular e o dialético são virtuais e por serem virtuais têm uma complexidade e uma liberdade criativa indecifráveis. Somente por isso podemos pensar no passado e no futuro, sendo que a única coisa real é o presente. Somente por serem virtuais podemos pensar em objetos e pessoas sem que estejam concretamente dentro de nós.

A imagem do quadro é mais complexa do que a descrição de milhares de seus detalhes. O que demonstra que o pensamento multiangular é mais complexo do que a descrição dialética do quadro. Basta colocar o olho e temos milhões de detalhes sem precisar descrevê-los.

O pensamento multiangular, como faz em frações de segundos uma leitura de centenas ou milhares de janelas da memória simultaneamente, é usado em todas as vertentes da imaginação, análise, reflexão, interiorização, intuição criativa. As pessoas cegas de nascença também produzem com muita destreza o pensamento multiangular. Têm imagens mentais, são capazes de pensar "colorido". O imaginário tem uma versatilidade indecifrável.

Ele não tem um sistema de código lingüístico definido, formado, lógico. É apoiado em múltiplas áreas conscientes e inconscientes da memória, tendo, portanto, grande amplitude histórica, existencial, emocional, esquemática. Enquanto o pensamento dialético é apoiado em um número restrito de janelas, tendo, portanto, uma amplitude pequena, além da restrição imposta pela necessidade de ser traduzido lingüisticamente para ser expresso por voz mental inaudível e/ou sonora.

Todavia, em vez de usarmos o pensamento multiangular como ferramenta fundamental para desenvolver os amplos aspectos do raciocínio, por ser mais abrangente, imaginativo, usamos o pensamento uniangular, que é fechado, estritamente lógico.

Os pais, professores, profissionais liberais, executivos, diplomatas usam, freqüentemente, o pior tipo de pensamento para compreender, intervir, raciocinar. Cometem erros graves de avaliação dos seus filhos, alunos, colegas. Julgam precipitadamente, criticam sem se colocar no lugar deles, sem enxergar suas falhas por múltiplos ângulos.

Esse erro gerou e tem gerado conseqüências sérias na formação de pensadores, na construção de soluções para conflitos interpessoais e raciais, e na produção de uma sociedade mais justa e permeada com os códigos que estamos discorrendo.

As palavras traem: erro de diagnóstico

Um jovem disse: "Devemos sempre ser amáveis com as pessoas. É ótimo ajudá-las e cuidar do seu bem-estar". Outro expressou o pensamento "de vez em quando é bom ajudar as pessoas". Quem produziu o pensamento multiangular?

Não dá para saber apenas julgando os códigos dialéticos. Se julgarmos, poderemos errar muito, como erram os que se encantam com as palavras de políticos, celebridades e líderes espirituais exploradores.

Quando saímos do útero materno para o útero social, choramos; quando saímos do útero social para o útero de um túmulo, outros choram por nós. Lágrimas sempre irrigam a história humana...
A. Cury, em
O vendedor de sonhos II — A missão

Em nosso exemplo, parece que foi o primeiro que produziu o pensamento mais profundo, multiangular, antidialético, mas, na verdade, foi o segundo. O primeiro produziu uma frase linda, mas seu pensamento é unifocal. Dentro dele as palavras "bem estar", "ser amável" não são apoiadas em múltiplos ângulos ou múltiplas experiências existenciais, altruístas, afetivas. Não têm o significado que imaginamos que tenham. São palavras vazias, superficiais. Observando seu histórico, descobrimos uma pessoa agressiva, egoísta, egocêntrica e violenta. Capaz de matar alguém se contrariado.

O segundo disse um pensamento simples, mas dentro dele, ao expressar "é bom ajudar as pessoas", a palavra "ajudar" tem grande significado existencial, é apoiada em vários ângulos. E a junção das palavras "é bom ajudar" foi construída sob o alicerce de múltiplas janelas que contêm emoção, preocupação, afetividade, generosidade.

As palavras e os discursos sempre nos traem, em especial quando desconhecemos o teatro psíquico. Há psicopatas que disfarçam suas intenções com grande facilidade.

Os seis tipos de raciocínio

A escola tem usado sistematicamente o pensamento dialético para que os alunos aprendam a escrever, interpretar a história, interpretar texto, construir relações, se autoconhecer, fazer cálculos. Por quê? Porque ele é mais fácil de manipular, é mais lógico e comunicável.

Durante minha produção de conhecimento sobre o processo de construção de pensamentos e sobre o processo de formação de pensadores, fazia-me freqüentemente estas perguntas: qual o principal pensamento usado na intuição criativa? O multiangular. Qual é o principal pensamento usado pelos pensadores para produzir grandes idéias? O multiangular, mesmo que não soubessem que o estavam usando. Qual tipo de pensamento decifra com muito mais eficiência o Código do Eu como gestor psíquico, do Altruísmo, da Resiliência, da capacidade de se colocar no lugar dos outros? Novamente o pensamento multiangular.

> **Quem não critica o que crê não lapidará suas crenças, quem não lapida suas crenças será servo das suas verdades. E se suas verdades são doentias, certamente será uma pessoa doente.**
> A. Cury, em
> *O código da inteligência*

Os pensamentos dialéticos são bons tijolos para serem usados para repetir informações, pensar com lógica, obedecer a ordens, arregimentar soldados para uma guerra, mas não para criar, inventar, inovar, refazer, recomeçar, organizar, montar quebra-cabeças, refletir, vislumbrar, fazer análises históricas e existenciais. Para essas funções precisamos do pensamento multiangular.

Einstein libertou o pensamento antidialético ou multiangular e, conseqüentemente, expandiu sua intuição criativa. Seu *feeling*, capacidade de observar, esquematizar, imaginar, deduzir, se ampliou muitíssimo. Isso fez toda a diferença no seu processo de construção de conhecimento.

Quando Einstein morreu, um médico furtou seu cérebro porque queria estudá-lo e deixá-lo como legado para a humanidade. Atitude ingênua! Existem córtices cerebrais privilegiado que têm uma capacidade de armazenamento de dados bem acima da média. Mas um armazém cerebral abarrotado de informações jamais determina uma capacidade de construir brilhantes idéias, argutos *insights*, conhecimentos novos que rompem o cárcere da mesmice. Nem muito menos determina os mais altos níveis de raciocínios, como estudaremos.

Os principais segredos da mente de Einstein estavam nos códigos que decifrou através do pensamento multiangular e não no seu córtex cerebral. Estavam na sua capacidade de imaginação e não na capacidade rígida e dialética de ver o mundo e seus eventos. Por isso, o próprio Einstein, sem conhecer os tipos de pensamento, acertou ao dizer que para ele a imaginação era mais importante que o conhecimento.

O gênio da física foi um dos cérebros mais brilhantes da humanidade porque usou o pensamento adequado, mas não aplicou esse pensamento para decifrar o Código da Resiliência e do altruísmo na relação com seu filho portador de psicose. Por isso o abandonou.

Todos os grandes pensadores usaram, sem ter plena consciência, o pensamento mais amplo e profundo da mente humana. Claro que todo *Homo sapiens* usa os dois tipos de pensamentos conscientes, mas tende a usar muito mais o pensamento dialético.

Jesus insistia em dizer que era o filho da humanidade: "Sou o filho do homem." Tal expressão assombrosa revela que ele não tinha raça, cor, nacionalidade, religião. Foi o primeiro homem sem fronteira, mas os homens querem aprisioná-lo em seus mundos e dogmas e fazê-lo sua propriedade.

A. Cury, em
O mestre da sensibilidade

Se colocassem um copo na nossa frente e nos pedissem para escrever um texto, provavelmente não teríamos muito que dizer se usássemos o pensamento dialético. Falaríamos sobre o volume, a consistência, a transparência.

Mas se viajássemos nas raias do pensamento multiangular poderíamos libertar o imaginário e escrever livros e mais livros. Poderíamos discorrer sobre a vibração dos átomos, a desorganização das moléculas, a posição tempo-espacial, a teoria do caos, as lágrimas e os sonhos do mineiro que lavrou o material, os sentimentos secretos de quem o construiu, a relação entre o artista e a obra, a natureza social do copo. Claro que o texto que escreveríamos seria dialético, mas estaria apoiado por inúmeras imagens históricas, existenciais, filosóficas, multiangulares.

Como pesquisador da complexa inteligência humana não me curvaria diante de nenhuma autoridade política e de nenhuma celebridade, mas me curvaria diante de todos os professores e alunos do mundo. São eles que podem mudar o teatro social. São eles os atores insubstituíveis.

A. Cury, em
O vendedor de sonhos II — A missão

Agora que vimos esses fascinantes tijolos, comentarei sobre os seis grandes tipos de raciocínio nos quais eles podem ser usados. Tudo que vou discorrer é apenas uma síntese.

1. Raciocínio lógico-linear. É o raciocínio matemático, cartesiano, linear, capaz de deduzir fórmulas, checar dados, inferir conseqüências lógicas. É fundamentado no binômio estímulo-resposta. Através dele se produz as maravilhas tecnológicas e também as reações instintivas "dente por dente", "olho por olho", portanto, é de pouquíssima utilidade para resolver conflitos psíquicos, sociais, prevenir discriminação, decifrar o código da gestão psíquica, do carisma e do altruísmo. Esse raciocínio é o que mais se aproxima da linguagem dos computadores.
2. Raciocínio histórico-social. É o que analisa a história humana, os fatos, as circunstâncias, as causas políticas, sociais, econômicas, físicas. Esse raciocínio, como os demais que serão descritos, se bem elaborados, propiciam terreno para o desenvolvimento dos oito códigos da inteligência aqui comentados.
3. Raciocínio histórico-psíquico. É o que discorre sobre a história psíquica, o autoconhecimento, a autoconsciência, os traumas, os conflitos, as experiências dolorosas, as experiências prazerosas, os vínculos interpessoais.
4. Raciocínio psicogerencial. É o que analisa o teatro psíquico, posiciona o Eu como gestor da psique, fornece subsídios para

se fazer a mesa redonda do Eu, reedita o filme do inconsciente, filtra os estímulos estressantes.

5. Raciocínio existencial. É o que alimenta o pensamento filosófico, a arte da dúvida, a arte da crítica, a arte da contemplação, o deslumbramento com o fenômeno da existência, sua finitude, seus limites, sentidos e projetos de vida.
6. O raciocínio esquemático. É o que organiza os demais raciocínios, sintetiza, sistematiza. É o raciocínio das grandes conclusões, que varre os meandros da história social, psíquica, social, gerencial, existencial, lógica.

Julgar comportamentos é um raciocínio lógico-linear, analisar as causas é um raciocínio histórico-psíquico. Excluir pela cor da pele, religião, casta social, é um raciocínio lógico linear; incluir, solidarizar-se, apoiar, é um raciocínio histórico com abrangência psíquica, social e existencial. Ter ataques de ciúme e inveja são raciocínios lógico-lineares, compreender e dar liberdade são raciocínios multiangulares.

> Quem ama o poder não é digno dele. Certamente o usará para controlar as pessoas e se perpetuar nele.
>
> A. Cury, em *O vendedor de sonhos II — A missão*

Escolhemos o pensamento dialético e o raciocínio mais débil para educar as crianças e formar sua personalidade. Esse erro educacional somado à Síndrome SPA e à negligência em decifrar os códigos da inteligência me levam a crer, infelizmente, que estamos formando uma massa de jovens que estarão aptos a conviver com computadores, mas não com pessoas. A educação precisa de uma revolução e não de consertos.

Os atos suicidas e o pensamento linear

O pensamento dialético deveria ser usado preponderantemente no primeiro tipo de raciocínio, o lógico-linear. Os demais raciocínios requerem o desenvolvimento do pensamento multiangular, caso contrário eles não se expandirão, como tem ocorrido na atualidade.

As discriminações, os conflitos raciais, a violência social, os ataques terroristas, os transtornos psíquicos, se perpetuarão se insistirmos em usar o pensamento que usa poucas janelas da memória.

Não devemos esperar que a solidariedade, a tolerância, a capacidade de se colocar no lugar dos outros, o altruísmo, o carisma, se expandam sem treinarmos o uso do pensamento multiangular ou imaginário, para desenvolver os mais nobres tipos de raciocínio.

Ando no traçado do tempo à procura de mim mesmo. Até hoje não sei quem sou, mas sou um caminhante e não um conformista.
A. Cury, em
O vendedor de sonhos

Os atos suicidas têm muitas causas, mas o que impele um ato suicida não são as causas, mas a maneira de construir o raciocínio. Se a construção for uniangular, a traição, a frustração, a doença física, as perdas, enfim as causas que financiam a crise de um suicida serão intransponíveis para ele.

Se, ao contrário, a construção for multiangular, fará uma varredura na sua história, checará seus princípios, analisará a dimensão das causas, avaliará o significado das pessoas, pensará nas conseqüências do seu ato, inclusive como ato punitivo.

Não faz muito tempo perdi um amigo. Mudarei os dados para preservar sua intimidade. Infelizmente morava a mais de 500 km de minha casa. Não sabia que atravessava um deserto psíquico. Tinha três filhos que estavam tendo problemas. Sentia-se abandonado por eles. Não admitia que estivessem usando drogas. Sentia-se desonrado, mal amado e extremamente fracassado como pai.

Era culto, mas não sabia falar de si mesmo. Não decifrou o código do filtro psíquico; suas frustrações causaram-lhe uma devassa psíquica. Não decifrou o Código do Carisma, não sabia conquistar pessoas difíceis, não tinha flexibilidade para surpreender seus filhos. Não se reuniu com suas angústias, desespero e falta de sentido existencial, para decifrar o Código da Resiliência. Era mais um escravo vivendo em sociedade livre.

Até que por fim não suportou a masmorra psíquica: tirou sua vida. Foi um ato lamentável. Entristeci-me muito por não ter podido ajudá-lo. Mais um ser humano que tinha sede e fome de viver asfixiou três trilhões de células do seu corpo para silenciar sua dor.

É triste observarmos que os atos suicidas estão aumentando. Só na China mais de 200 mil pessoas tiram suas vidas por ano. Quem se suicida tem um raciocínio lógico-linear, pelo menos no período de crise. Como disse em outros textos, que os que desejam fechar seus olhos para a vida não têm a compreensão filosófica e multiangular do fim da existência. Na realidade, procuram linearmente aliviar sua dor. Têm uma enorme sede de viver e ser feliz, mas não sabem como.

> **As universidades, com as devidas exceções, são templos doentios, que formam pessoas doentes para viver em uma sociedade doente. Preparam jovens para dizer amém para o sistema e não para repensá-lo.**
>
> **A. Cury, em**
>
> ***O vendedor de sonhos II — A missão***

Todo suicida que penetra nas raias do pensamento antidialético ou multiangular, recua em seus atos. Para prevenir esse drama é necessário não apenas atuar nas causas estressantes, mas principalmente ampliar as formas de raciocinar.

O homem Jesus surpreendeu no raciocínio multiangular

Os maiores erros que cometemos com quem mais amamos, as palavras que nunca deveríamos ter falado, as reações que nunca deveríamos ter expressado, as cobranças que nunca deveríamos ter feito e as pressões que nunca deveríamos exercer foram feitas porque usamos o pensamento restrito, unifocal, dialético.

Minha filha mais velha, que está terminando a faculdade de psicologia, e eu estávamos jantando um dia desses. Na ocasião, comentei sobre as graves conseqüências de a educação não treinar os múltiplos tipos de raciocínio. Ela me perguntou: "Papai, sabe quando você me treinou a usar o pensamento multiangular?"

Pensei e respondi: "Desde quando você era criança. Perguntava para você, quando via uma pessoa na rua, um mendigo, um idoso ou uma pessoa qualquer: quem é tal pessoa? O que ela está pensando agora? Quais são seus sonhos? Quais foram as suas lágrimas?"

Minha filha completou: "Quando passeávamos de carro à noite pelas estradas, você via uma luz no breu e também indagava: quem mora naquela casa? O que aquelas paredes já ouviram? Quais eram os recuos e as ousadias que seus habitantes já viveram?"

Após me dizer isso, ela se entristeceu ao lembrar que alguns professores de psicologia discorrem sobre as doenças psíquicas sem exaltar o doente, sem valorizar sua complexidade e criatividade. Não mostram que cada ser humano tem um mundo fascinante para ser desvendado. Não desenvolveram o raciocínio existencial, histórico-psíquico, histórico-social.

> O sistema educacional perdeu o foco. Ensina aos alunos de todo o mundo o pequeno átomo que nunca veremos e o imenso espaço que nunca pisaremos, mas não lhes ensina a conhecer o mais importante e mais próximo de todos os espaços, o psíquico.
>
> A. Cury, em
> *Pais brilhantes, professores fascinantes*

Alguns desenvolveram esses raciocínios com intensidade no passado. Buda, Confúcio, Agostinho, e tantos outros. Cristo foi notável nessa área. Quando morria em uma cruz, teve a ousadia de dizer: *Pai, perdoa-os, porque eles não sabem o que fazem.* Esse pensamento choca a psicologia, a sociologia e a filosofia.

Eu, que fui um dos mais ferrenhos ateus desta terra, fiquei assombrado ao analisar a dimensão histórico-social-existencial desse pensamento no ápice da dor física e emocional. Era para ele ser dominado pelo pensamento dialético, ter um raciocínio linear, ser controlado pelo ódio ou pelo medo, mas surpreendentemente abriu inúmeras janelas da sua memória e desenvolveu o mais excelente raciocínio, expandiu sua intuição criativa na plenitude.

Provavelmente, ao abrir as janelas da sua mente, usou o pensamento multiangular para fazer uma varredura instantânea da sua infância, adolescência e vida adulta. Analisou a fragilidade humana, seus conflitos e contradições. Refletiu sobre a traição de Judas, a negação de Pedro e outras graves frustrações que seus amigos lhe causaram. Analisou as causas psíquicas e sociais que controlavam seus carrascos e, desse modo, conseguiu se colocar no lugar deles e entender por múltiplos ângulos o que estava por trás da cortina dos seus comportamentos agressivos. Fez o que raramente um ser humano faz quando está em águas emocionais tranqüilas.

> Quem corrige o insensato recebe afronta contra si. Quem o deixa se perder em seu caos dá-lhe oportunidade para se reconstruir.
>
> A. Cury, em *O vendedor de sonhos II — A missão*

Seus torturadores agiram sem traços de humanidade e afetividade. Mas o Mestre dos mestres compreendeu que eles não aprenderam a decifrar o código do altruísmo, da autocrítica, da capacidade de pensar antes de reagir. Desculpou homens indesculpáveis, protegeu-os e perdoou-os porque sabia que eram vítimas de uma educação social doente que não amplia o raciocínio nem estrutura o "Eu" como líder de si mesmo.

Nunca na história a gestão da psique ganhou patamares tão nobres. Nunca a generosidade e a tolerância ganharam *status* tão sublimes. Não defendo nenhuma religião. Mas mudei minha mente ao analisá-lo. Infelizmente as religiões e o sistema educacional falharam muito em não estudar os códigos da inteligência de Cristo. Muitas atrocidades teriam sido evitadas.

Os psicopatas clássicos

Hitler tinha brilhantes pensamentos dialéticos, inclusive no trato com sua cadela. Observe seus discursos e aparentemente verá um homem afetivo e sensível. Porém, o número de janelas que apoiavam suas idéias era pequeno. Não lhe dava subsídios para se colocar no lugar dos outros, para ficar assombrado com o fenômeno da existência, para pensar antes de reagir.

Mas a grande questão é: Hitler tinha na sua memória experiências suficientes para gerar um pensamento multiangular, para enxergar os judeus como membro da sua espécie, para ter compaixão, solidariedade? Talvez a reposta seja chocante, mas é positiva. Sim, tinha. Caso contrário, não seduziria uma nação inteligentíssima, como já comentei.

O problema é que seu pensamento era uniangular. Seu Eu era um péssimo gestor da sua psique. Não abria múltiplas janelas da memória ao mesmo tempo, não desenvolvia, portanto, um raciocínio histórico, existencial, esquemático, capaz de decifrar os códigos da inteligência. Embora tivesse um poderio militar sem precedentes, Hitler era débil, frágil, infantil, no mau sentido da palavra.

Um Eu frágil crê em verdades absolutas, tem um pensamento linear, elimina a arte da dúvida e, por isso, é incapaz de decifrar o código da autocrítica. Não podemos nos enganar, um homem com raciocínio dialético brilhante pode matar, estuprar, destruir, sem piedade.

Stalin, do mesmo modo, tinha mérito em seus raciocínios dialéticos. Defendia a nova ordem social, o socialismo, com paixão e fervor. Mas era paranóico. Tinha idéias de perseguição. Não tinha um raciocínio histórico, existencial e nem muito menos esquemático. Não era gestor da sua psique, não tinha autocrítica e desconhecia a arte da dúvida. Era mentalmente lógico-linear.

Nunca houve tantos escravos em sociedades democráticas. Escravos no único lugar em que deveríamos ser livres: no território de nossa mente.

A. Cury, em *O vendedor de sonhos*

Em sua biografia, há reações que nos deixam perplexos. Stalin podia mandar matar à noite homens que inventava que eram seus inimigos e na manhã seguinte tomar café com as esposas deles como se nada tivesse acontecido. Homens como esses nunca deveriam assumir o poder. Aliás, talvez 1% dos líderes políticos, empresariais, espirituais, estão preparados para assumir o poder com dignidade.

Ranking incorreto

Não se conhece os psicopatas pela voz, pela dimensão das palavras dialéticas, pelo discurso em ambientes não estressantes. Eles podem falar coisas mais belas do que uma pessoa que tem raciocínio multiangular, a diferença é que podem matar e ferir com grande facilidade e sem peso na consciência.

O sentimento de culpa depende do pensamento multiangular, depende de varreduras de extensas áreas da memória, como pouco usam esse pensamento, pouco se colocam no lugar dos outros e pouco se importam com as conseqüências dos seus comportamentos.

Entristeço-me quando vejo o ranking dos países que têm melhor educação. Que educação é essa? A que avalia o raciocínio lógico-linear: matemática, física, química e outras matérias. E os outros raciocínios? E os códigos da inteligência? Parece que os países que estão no topo da lista estão livres de cometer atrocidades. Ledo engano.

Neles podem sair, do mesmo modo, líderes que esmagarão um mosquito com um canhão, que excluirão, discriminarão, anularão. Basta ter as condições sociais estressantes para os monstros alojados no inconsciente despertarem.

Por que é raro produzir pensadores, engenheiro de idéias, construtores de novos conhecimentos? Por que é raro formar grandes líderes, humanistas, inventivos, versáteis? Erramos o alvo. Não aprendemos a usar o pensamento multivariável, multiangular, multifocal.

Todos temos uma genialidade a ser explorada

Em alguns países, meus livros têm sido também utilizados para ajudar superdotados, gênios, a compreenderem o funcionamento da mente a fim de utilizar melhor seu potencial. Caso contrário, ser um superdotado torna-se uma fonte de conflitos. Para mim, que pesquiso sobre o universo da inteligência, há uma genialidade dentro de cada ser humano que não é trabalhada, expandida, lapidada.

Essa genialidade só vem à tona quando deciframos os códigos da inteligência, principalmente a intuição criativa. Os gênios clássicos, aqueles que têm pontuações altíssimas em determinados testes de inteligência podem ter péssimo desempenho no teste existencial, intelectual, profissional, afetivo e social. Desperdiçarão seus talentos.

As crianças e os adolescentes aprendem a ler e a escrever, mas não a imaginar. Aprendem a calcular, mas não a observar. Aprendem a acumular dados, mas não a deduzir e expandir o raciocínio esquemático. Aprendem a repetir informações, mas não a construir. Garotos e garotas que não se atraem ou não conseguem se submeter ao sistema clássico são alijadas.

Os jovens deveriam fazer exercícios de imaginação, criação, inventividade. Deveriam aprender a pensar menos com os símbolos lingüísticos e mais com a imagem mental, deveriam aquietar a voz inaudível do pensamento e libertar a da perceptividade.

Há pessoas que não têm uma mente fotográfica, que não são especialistas em recordar fatos e dados, mas através de um aprendizado intuitivo ou educacional desenvolveram capacidades para superar suas dificuldades, criar oportunidades em meio à turbulência social, reagir com maturidade quando ofendidas, humilhadas, excluídas.

Alguns se punem por acharem que têm péssima memória. Julgam-se incapazes, "burros", mentalmente deficientes. Ao terminar de ler uma página de um livro, sentem que não fixaram nenhuma informação. Após ouvir a fala de um professor, sentem que não registraram nada.

Não entendem que, excetuando casos onde há processos congênitos, genéticos, degenerativos ou mecânicos, não existe memória ruim ou fraca. O que existe são pessoas que "viajam" demais, pensam tanto que se concentram pouco. Distraem-se com uma facilidade incrível. Ao ler duas ou três frases de um jornal saem do papel e pegam carona nas suas idéias. Não se fixam. Não se lembrarão do que leram, pois na realidade não leram, passaram os olhos. Têm excelente potencial intelectual, mas as provas escolares não acusam esse potencial, ao contrário, denunciam que são "desinteligentes".

As provas deveriam validar todo raciocínio esquemático, toda inventividade, toda "rebeldia" intelectual. Já disse no livro *Pais brilhantes, professores fascinantes* e repito: é possível dar nota dez para quem errou todos os dados, se usarmos os parâmetros de outros raciocínios.

Meus pacientes autistas, quando dão um salto na construção de pensamentos e na formação de vínculos sociais, costumam ter um raciocínio surpreendentemente melhor do que outras crianças. O motivo? Não foram contaminados com o uso excessivo dos pensamentos dialéticos. Aprenderam a usar o pensamento imaginário.

As crianças são tolhidas em ambientes insuspeitos

Qual é o período em que as crianças mais perguntam, questionam, indagam? Todos sabemos que é na infância. É nesse período que mais imaginam e mais surgem dúvidas. Perguntam tudo, sem medo da resposta, sem medo de serem ridicularizadas. O mundo das perguntas dialéticas surge no mundo do imaginário dialético.

À medida que avançam nos anos escolares e têm mais acesso a informações e, portanto, deveriam ser mais questionadoras, se calam. Sabem tão pouco como sabiam na sua infância, têm milhões de dúvidas, mas bloquearam o pensamento multiangular.

Como bloquearam? Através de inúmeras janelas produzidas pela educação clássica que contém a necessidade de dar respostas precisas, do medo de errar, de ser criticada, zombada. Libertar o imaginário é inventar e se reinventar, é uma rebelião saudável contra as fronteiras do pensamento fechado, contra os paradigmas. Mas rebelar-se positivamente se tornou uma atitude proibitiva.

O grande paradoxo na relação pais-filhos é que os pais também sufocam o pensamento imaginativo dos filhos. Quando os filhos são bebês, os pais são inventivos, multiangulares: brincam, correm atrás, fazem-lhe cócegas, imaginam mil maneiras de tirar-lhes um sorriso.

Quando crescem, os pais deixam de ser inventivos, não se aventuram, não os estimulam a decifrar o Código da Intuição Criativa. Tornam-se um manual de regras dialéticas.

Construindo oportunidades

Há mais diferenças entre criar oportunidades e esperar que apareçam do que pensa nosso tímido intelecto. Criar oportunidade é depender de si, esperar que apareçam é depender dos outros. Criar oportunidade é irrigar a terra, esperar que apareçam é aguardar as chuvas. Criar oportunidade é libertar a intuição criativa, esperar que apareçam é depender da sorte.

> **Um bom profissional faz tudo que lhe pedem, enquanto um excelente profissional surpreende, faz além do que os outros esperam.**
>
> **A. Cury, em**
> ***O código da inteligência***

Você cria oportunidade para trabalhar ou espera que lhe ofereçam espaço? Você cria oportunidade para ter um desempenho profissional melhor ou espera que a economia, as condições sociais e o país melhorem? Muitos amam as árvores, mas não querem sujar suas mãos para semeá-las e cultivá-las.

Sem decifrar o código da criatividade, a perda do emprego poderá ser desértica, mas se o decifrarmos, poderá ser um começo de uma bela nova jornada. Sem criatividade uma reação de desprezo poderá debelar a auto-estima; com ela podemos consolidá-la.

Quem decifra o Código da Intuição Criativa tem mais possibilidades de reunir seus pedaços e se reconstruir, tem mais possibilidades de se reencontrar quando não há caminho para transitar.

Quem o decifra sabe que não existem pessoas difíceis, existem pessoas que precisam de chaves especiais para abrir seu psiquismo. Esperar que se abram e reconheçam sua rigidez poderá ser uma ilusão que nunca se materializará. Morrerão impenetráveis. É preciso libertar nossa criatividade para encontrar uma criança dentro de um general, um ser humano dentro de um deus.

Possíveis conseqüências de quem decifra o Código da Intuição Criativa:

1. Abre as janelas da sua mente para construir um raciocínio histórico-social, histórico-psíquico, existencial, esquemático.
2. Torna-se versátil, perspicaz, flexível, inventivo. Liberta seu imaginário, liberta seu pensamento multiangular ou antidialético.
3. Liberta sua capacidade de inspiração e aspiração.
4. Aprende a dar respostas inteligentes em situações estressantes. Enxerga seus problemas e os problemas sociais por múltiplos ângulos.
5. Revela liderança, encanta as pessoas ao seu redor. Rompe o cárcere da mesmice. Faz da vida uma aventura.

Possíveis conseqüências de quem não o decifra:

1. Torna-se fechado, hermético, rígido, austero.
2. Dá as mesmas respostas para os mesmos problemas. Repete os mesmos erros com freqüência.
3. Constrói um raciocínio uniangular, linear, lógico, exclusivista. Torna-se especialista em julgar e não em acolher.
4. Vê seus problemas como intransponíveis. É vítima do ciúme e da inveja. O sucesso dos outros o incomoda.
5. Torna-se insatisfeito. Vive entediado, preso nas tramas da mesmice.

Decifrando o Código da Intuição Criativa: exercícios

1. Aprender a pensar sob múltiplos ângulos, considerar fatos históricos, sociais, psíquicos, existenciais, na organização esquemática do raciocínio.
2. Exercitar diariamente a libertação do pensamento multiangular, antidialético ou imaginário. Lutar contra toda forma unifocal, uniangular e fechada de pensar.

3. Usar a arte da dúvida para questionar verdades absolutas e paradigmas rígidos. Treinar abrir o máximo de janelas da memória nos focos de tensão.
4. Superar a armadilha do conformismo e do medo de ousar. Ter coragem para percorrer caminhos inexplorados.
5. Desengessar a mente humana. Enxergar o caos como oportunidade criativa. Não ter medo de pensar diferente.

Capítulo 17

Oitavo código da inteligência: *Código do Eu como gestor da emoção*

Abri o primeiro código da inteligência discorrendo sobre o Eu como gestor dos pensamentos. Agora fecho a série desse espetacular grupo de oito códigos novamente com a gestão da psique, só que agora com a gestão do mais ilógico e complexo território psíquico: a emoção.

O Código do Eu como gestor da emoção é o código que nos posiciona como administrador dos sentimentos, gerenciador da insegurança, dos temores, dos medos, das angústias, do humor triste, do ciúme, da agonia, da aflição. É o código que dá um choque de lucidez nas emoções, recicla seu controle de qualidade, propicia terreno para cultivarmos a tranqüilidade, o prazer, o júbilo, o deleite, o desfrute existencial.

Vamos recordar a estrutura e os papéis do Eu. O "Eu" representa nossa autoconsciência, a consciência sobre quem somos, o que somos e onde estamos e o que queremos. Representa nossa capacidade de escolher, decidir, traçar caminhos, estabelecer metas. O "Eu" em tese deveria ser o agente modificador de nossa história.

Digo "deveria ser" porque o "Eu" freqüentemente não assume os papéis vitais, não desenvolve um raciocínio multiangular para ser autor da sua história. É quase inacreditável constatarmos que estamos na era da informática, da transmissão de dados via satélite, do genoma, da robótica, mas estamos no tempo da pedra na atuação do Eu como gestor psíquico.

> Um bom profissional obedece a ordens, enquanto que um excelente profissional pensa pela empresa.
> A. Cury, em
> *O código da inteligência*

Já pensou se o Eu tivesse plena liberdade de ser um gestor da emoção como o é ao pilotar um avião, dirigir um carro, controlar um orçamento empresarial? Baniríamos o tédio, teríamos acessos aos mais borbulhantes prazeres, a tranqüilidade seria nossa praia, a satisfação nosso espaço mais secreto.

O individualismo se multiplicaria, pois não precisaríamos amar, trocar, relacionar, conviver, enfim não necessitaríamos das relações interpessoais como fonte de prazer. A poderosíssima indústria dos antidepressivos e tranqüilizantes desapareceria. A indústria do lazer minguaria. A indústria da moda faliria. Não precisaríamos visitar museus, nem tomar um bom vinho. Pois bastaria o "Eu" decidir se embriagar que a emoção se submeteria a ele.

Nunca vamos ser gestores plenos da emoção; as conseqüências seriam gritantes em algumas áreas. Mas se deixarmos solto esse processo de gestão, as conseqüências seriam igualmente sérias.

Péssimos gestores

Seria um absurdo se observássemos um motorista tirar as mãos do volante e deixar o carro seguir ao seu bel-prazer. Colisões aconteceriam, ferimentos imprevisíveis seriam gerados. Mas esse absurdo ocorre em nossa psique. As pessoas deixam suas emoções soltas, sem direcionamento, sem gerenciá-las minimamente.

Submetem-se ao seu humor triste, fóbico, depressivo, pessimista, como se fossem marionetes, como se não tivessem nenhum poder gerencial. Não têm consciência de que essas emoções são registradas em segundos nos bastidores da sua mente, e uma vez arquivadas não podem ser mais deletadas.

Como vimos, no código do Eu como gestor do intelecto, no máximo usamos técnicas com baixo nível de eficiência, que operam uma gestão rudimentar da psique: 1) Tentar parar de sentir. 2) Tentar esquecer. 3) Tentar se distrair. 4) Tentar mudar a emoção. Como comentei, não se troca ou transforma a emoção ao bel-prazer. É preciso um choque de gestão.

Jamais um ser humano será um grande líder no teatro social se primeiramente não for um grande líder no teatro psíquico. Os ditadores não obedeceram a essa lei. Foram frágeis com o poder nas mãos.
A. Cury, em
O vendedor de sonhos II — A missão

É importante entender as causas que geram as emoções, mas é igualmente importante exercer a administração psicodinâmica delas. É importante estudar a gênese dos traumas, o alicerce histórico dos conflitos, mas é igualmente importante o "Eu" ser treinado para atuar como diretor do roteiro emocional. Emoções que poderiam ser administradas com a atuação simples do Eu, às vezes demoram meses para serem resolvidas.

Para decifrar o Código do Eu como gestor da emoção é necessário usar sistematicamente as seguintes ferramentas:

1. Fazer a mesa redonda do Eu contra todas as emoções que nos controlam, anulam, fomentam conflitos.
2. Proteger a emoção evitando exigir o que os outros não podem dar.
3. Proteger a emoção através de se doar sem esperar demasiadamente o retorno.
4. Proteger a emoção por entender que por trás de uma pessoa que fere há uma pessoa ferida.
5. Ser livre da ditadura da resposta. Não gravitar na órbita do que os outros pensam e falam de você. Ter órbita própria.

6. Desenvolver a consciência de que o território emocional é um espaço particular e inviolável e não terra de ninguém. Não se deixar ser invadido sem permissão do Eu.
7. Ser autodeterminado, ter metas claras, ter consciência da sua identidade e capacidade, mesmo que o "mundo desabe sobre você" e os projetos dêem errado.
8. Ser seletivo, dar prioridade às coisas relevantes, não se prender a picuinhas e nem barganhar a tranqüilidade por coisas irrelevantes.
9. Desacelerar os pensamentos, administrar a SPA (Síndrome do Pensamento Acelerado), que é a maior fonte de insatisfação e ansiedade na atualidade.
10. Redesenhar o estilo de vida, ser pausado, dosado, caminhar passo a passo. Aprender a fazer uma coisa de cada vez. Valorizar e desfrutar da trajetória tanto como da meta ou do ponto de chegada.

Um choque de gestão através da mesa redonda do Eu

O homem pode transcender, o que significa dizer que o homem está capacitado a atribuir um sentido ao ser, tomando o destino em suas próprias mãos, como pensava Heidegger (Heidegger, 1991). Não podemos cair naquilo que ele denominaria "ruína" ou desvio de cada um de seu projeto de vida em favor das preocupações cotidianas, que distraem e perturbam, confundindo com a massa.

> **A vida é cíclica. Há tempos de aplausos e tempos de vaias, tempos de acertos e tempos de falhas, tempos de júbilo e tempos de lágrimas, tempos de sucesso e tempos de fracasso. Quem quer viver apenas em céu de brigadeiro está despreparado para vivê-la.**
>
> **A. Cury, em *O código da inteligência***

Nesse caso, o "Eu" individual sacrifica-se, reduz sua vida à vida dos outros; deixa-se levar pelas opiniões alheias; aliena-se totalmente da sua principal tarefa, que é "tornar-se ele mesmo".

Sem um choque de gestão psíquica para "tornar-se ele mesmo", não resgataremos nossa identidade essencial. Seremos não o que somos, mas o que os outros querem que sejamos.

É preciso ter consciência de que o território emocional é valiosíssimo; não pode ser violado pelo lixo social. Temos consciência de que ninguém pode pegar nosso carro e dirigir sem nos pedir licença. Ninguém pode adentrar nossa casa se não receber nosso convite. Mas nossa emoção freqüentemente tem sido terra de ninguém. Qualquer um a invade, qualquer rejeição furta nosso prazer, qualquer perda dilapida o patrimônio da nossa tranqüilidade. Não somos treinados a proteger esse delicadíssimo espaço.

É preciso conviver com as pessoas, ser altruísta, mas sem esperar excessivamente o retorno delas. Além disso, para dar esse choque gerencial o Eu precisa também fazer a técnica da mesa redonda do Eu, como preconizei no primeiro código da inteligência.

> **As mulheres são admiravelmente complexas. O dia em que você achar que conheceu uma alma feminina desconfie do seu sexo.**
> **A. Cury, em**
> ***O futuro da humanidade***

Reitero que a mesa redonda do Eu não é uma técnica positivista, nem uma técnica superficial de quem nega que o circo psíquico esteja pegando fogo e dissimula esse caos dizendo que está tudo bem e recita frases de auto-ajuda. Essas atitudes são infantilidades intelectuais e não um choque de gestão.

A mesa redonda do Eu é uma técnica psicodinâmica, existencial, filosófica, de extraordinária inteligência. É praticada, como vimos, pelo exercício pleno de duas artes ou códigos da inteligência: a arte da dúvida e da crítica.

Uma criança deveria ser ensinada desde os primeiros anos não apenas a criticar cada pensamento negativo, mas também seus medos e seus fundamentos. Uma criança deveria aprender não apenas a duvidar das crenças asfixiantes, mas também a protestar e argüir contra seus fantasmas, fantasias, ciúmes, timidez, reações impulsivas.

O choque de gestão emocional passa pelo Eu superando a armadilha do conformismo, do coitadismo e do medo de ousar e questionar cada emoção débil: "Como surgiu? Quando surgiu? Por que surgiu? Até onde estou sendo afetado por ela e contagiando outros? Por que sou servo dela? Por que não sou livre? E como faço para ser livre?" É surpreendente o poder implosivo da arte da dúvida e da crítica. Mas infelizmente raramente são utilizadas por jovens e adultos.

> **Um bom líder usa o poder do medo e das pressões; um excelente líder usa o poder do elogio e da liberdade.**
> **A. Cury, em**
> ***O código da inteligência***

Para Matthew Lipman, pensar é o processo de descobrir e fazer associações e disjunções. Fazer disjunções ao ponto de impugnar todas as emoções que não nos libertam; ao contrário, nos controlam, amordaçam. Somos ingênuos quando deveríamos ser dotados de expertise. Compramos por um alto preço as reações absurdas dos outros que não nos pertencem (Lipman, 1995).

Tudo rápido

Há poucos dias, conversei com uma jovem muito ansiosa. Ela quer tudo rápido, na hora que quer e quando quer. Mostrei a ela que as coisas mais importantes da vida não são conseguidas rapidamente, como o nascimento de uma vida, a conquista de um grande amor, a construção das melhores amizades, a respeitabilidade profissional, o prestígio social.

Não tinha conflitos importantes que explicassem sua ansiedade, era fruto da SPA, do seu estilo doentio de vida. Disse que sua ansiedade poderia truncar suas mais importantes conquistas. Mostrei que seu "Eu" deveria aprender a gerir sua emoção para que sobrevivesse e brilhasse socialmente.

Ela queria saber como isso seria possível, já que havia tentado e falhado várias vezes. Então eu a ensinei a bombardear de perguntas, críticas e questionamentos sua ansiedade, seu desejo compulsivo por querer tudo rápido. Senti que ela entendeu minha mensagem. Entendeu que aquilo que parecia impossível poderia ser alcançado pouco a pouco.

Sim, e realmente pode. Basta construir ao longo dos meses uma nova plataforma de janelas lights na grande cidade do inconsciente. Não é fácil gerir nossa emoção, mas não estamos de mãos atadas, como pensam determinados profissionais de psicologia e educação.

Se um adolescente for traído por uma namorada e não atuar gerindo seu sentimento de traição e insegurança, poderá construir um medo da perda destruidor, gerando um ciúme fatal que poderá sufocar a próxima namorada, tornando-se um carrasco da pessoa que ama. É impressionante como entre adolescentes da atualidade que deveriam ser tão flexíveis há tantos carrascos.

> **Não é defensável que a dor amadurece o ser humano. As perdas e frustrações o pioram, esmagam sua auto-estima e dissipam seu encanto pela vida. A dor só nos enriquece se não tivermos medo de entrar em contato com nossas fragilidades e insensatez, se a usarmos para esculpir nossas mazelas.**
> **A. Cury, em**
> ***O código da inteligência***

Seguro emocional

No século XV, as crianças saíam das suas casas a partir dos sete anos e iam morar com um mestre onde aprendiam a arte de ferreiro, de fazer vinhos, domar cavalos. Os jovens retornavam ao redor de 14 anos, o que contraía a afetividade nas relações entre pais e filhos. A partir daí, algumas castas de jovens das grandes cidades começaram a freqüentar escolas e retornar diariamente a suas casas. Houve uma revolução emocional.

As conseqüências foram tão grandes que afetaram até a arquitetura das residências. Deixaram de ser "caixotes" sem divisão e passaram a ter quartos para preservar a intimidade do casal e dos filhos. Corredores laterais nas casas, elemento raro na época, surgiram para evitar a invasão dos estranhos na intimidade familiar. Grades, portas, janelas reforçadas foram acrescentadas para dar mais proteção a esse espaço tão importante.

Porém, o espaço emocional fundamental para a existência humana não tem essa proteção. Não fomos equipados educacionalmente para entender que emoção é um território que deve ser preservado com especial cuidado.

No verão de 2007, a pedido da minha editora americana, fui morar nos EUA. Com muito carinho cuidaram do meu bem-estar e da minha família. A primeira coisa que meu editor me pediu quando me alugou um carro foi fazer urgentemente um seguro.

Os EUA são o país do seguro. Raramente alguém não faz seguro do carro e da casa. Não querem ser surpreendidos por colisões, incêndios e, em menor grau, furtos. Mas, freqüentemente, são surpreendidos por colisões psíquicas, incêndios e furtos emocionais, e não têm esse tipo de seguro. Proteção psíquica só com treinamento, só decifrando os códigos.

Uma bomba com vários estágios

Se estudarmos o processo de construção de pensamentos e emoções, descobriremos que alguns fenômenos psíquicos são processados quase na "velocidade da luz", ocorrem antes de termos consciência do estímulo estressante e de que estamos sendo invadidos por ele.

Imagine que uma pessoa nos caluniou. Essa calúnia é como se fosse uma bomba com vários estágios. A calúnia é formada por códigos lingüísticos. Sons não são suficientes em si para nos ferir. Mas esses códigos sonoros são transformados em códigos neuroquímicos que percorrem o sistema auditivo, vão até o córtex cerebral e detonam um fenômeno inconsciente chamado de Gatilho da Memória ou fenômeno da Autochecagem.

Esse Gatilho abre rapidamente as janelas da memória que decifram o código lingüístico do agressor, fazendo associações com nossas experiências passadas. Nesse período, detonou-se a primeira etapa da interpretação, o primeiro estágio da bomba explodiu. Ficamos angustiados, aborrecidos, enraivecidos.

Quanto tempo se passou? Milésimos de segundos. Onde está o Eu? Sem consciência do que está acontecendo, mas, apesar disso, já começou a vivenciar as emoções do primeiro estágio. Nenhum ser humano consegue evitar esse processo inicial, por mais que tenha desenvolvido o pensamento multiangular e decifrado os códigos da inteligência.

Somente em um próximo momento, quando já iniciada a invasão da emoção, o "Eu" toma ciência do estímulo da calúnia. Passaram-se segundos apenas.

Se o Eu for imaturo, se for uniangular, se usar excessivamente o pensamento dialético, continuará se deixando invadir, embarcará no sentimento de raiva, fúria ou medo iniciado, detonando o segundo estágio da bomba, muito mais grave que o primeiro. A maioria dos seres humanos detona o segundo estágio, inclusive budistas, que são exemplos de paciência.

A existência é assombrosamente breve. Quem não reflete sobre essa brevidade torna-se um deus, comporta-se como imortal, não sabe que um dia silenciará sua voz na solidão de um túmulo.
A. Cury, em
O vendedor de sonhos II — A missão

Se, ao contrário, o Eu for maduro, se souber dar um choque de gestão na psique, se usar o pensamento multiangular, então abrirá o máximo de janelas da memória, não viverá debaixo da ditadura da resposta, fará a oração dos sábios (o silêncio), entenderá que por trás de uma pessoa que fere há uma pessoa ferida. Desse modo, protegerá o delicadíssimo território da emoção. Assim, desarmará o segundo e mais devastador estágio dessa bomba.

Por que o segundo estágio é mais devastador? Porque retroalimenta a cadeia de sentimentos agressivos ou fóbicos, bem como a cadeia de pensamentos destrutivos ou autodestrutivos.

E todas essas cadeias produzidas nos segundos, minutos, horas e dias posteriores à calúnia serão registradas pelo fenômeno RAM, construindo inúmeras janelas killers ou zonas de conflitos em bairros nobres da grande cidade da memória.

Portanto, a grande questão não é o trauma original na construção dos transtornos psíquicos, como imaginavam Freud ou Jung, mas a retroalimentação do trauma nos estágios posteriores; enfim, seus desdobramentos no teatro psíquico diante de um Eu passivo.

Aprendemos a detectar os ruídos mínimos no motor do carro, odores ruins na geladeira, vibração dos celulares, mas não aprendemos a perceber as alarmantes explosões que ocorrem em nosso sensível território psíquico. Não aprendemos a conhecer o funcionamento da mente, não aprendemos a desarmar a bomba emocional.

O terror que vem de dentro

Há pessoas que ficam retroalimentando em sua mente as ofensas, perdas, rejeições, desapontamentos, preocupações, durante meses e anos. Contaminam espaços importantíssimos de seu inconsciente. Não entendem que precisam desarmar o Gatilho emocional. Não entendem que a maior vingança contra um inimigo não é odiá-lo, mas perdoá-lo. Para perdoá-lo é preciso despir-se de heroísmos, compreendê-lo, deixar de gravitar em sua órbita insana. Quem odeia seu inimigo é inimigo de si mesmo.

Mas alguém poderia dizer: esse processo de desarme é muito complicado! Sim! Por isso que diariamente inúmeros assassinatos, suicídios, estupros, casos de violência doméstica, ocorrem. Nossa mente é muito complexa e exige uma educação também complexa, muito mais do que a educação simplista de transmitir milhões de informações para abarrotar a memória de informações. Uma mente multifocal precisa de uma educação multifocal, que leva em altíssima consideração os códigos da inteligência.

Devemos entender que os estágios da bomba psíquica, da invasão emocional, iniciam-se no espaço inconsciente e devem ser desarmados no palco consciente.

Quando vemos um filme de terror, sabemos previamente que por trás de cada cena existe um iluminador, um câmera, atores e um diretor que dirige a cena. Não há monstros, não há terror, muitas risadas são produzidas durante as filmagens. O diretor chama a atenção diversas vezes do ator para imprimir mais pânico em seus gestos.

Sabemos disso. Mas quando o monstro começa a aparecer, quando a porta começa a ranger, a bomba emocional que expliquei há pouco rapidamente inicia seu processo de explosão. Detona o primeiro estágio. Começamos a ter reações de medo, apreensão, insegurança, mesmo não querendo. Por que temos tal reação sabendo que tudo é balela? Porque o terror vem de dentro. Foi produzido pelo Gatilho, abrindo algumas janelas da memória em milésimos de segundos.

Só depois cumpre ao Eu dar um choque de gestão, não deixando outros estágios da bomba, mais dramáticos, detonarem. Aqui entra a mesa redonda do Eu e as demais ferramentas descritas. Sem fazer isso, o Eu terá noção de que o filme é ficção, mas a emoção não gerenciada o vivenciará como se a ficção fosse real. Eis o grande paradoxo do intelecto humano! Descompasso entre a razão e a emoção, entre o Eu frágil e a emoção dominadora.

Da próxima vez que assistir a um filme em um ambiente escuro com cenas horripilantes, perceba o primeiro estágio e tente dar um choque de gestão no segundo estágio. Provavelmente descobrirá que não é simples, que o Eu não tem tanto cacife para ser líder da psique. É por isso que sofremos por coisas tolas, vendemos por bobagens nossa tranqüilidade.

O maior sucesso não é o poder social

Há muitas ferramentas fundamentais que o Eu pode trabalhar para ser um bom gestor da psique. Aprender a se doar sem esperar excessivamente o retorno, como já discuti em outros textos, é fundamental. Quem espera muito dos filhos, amigos, colegas de trabalho, pode se decepcionar muito. É melhor decifrar o código do altruísmo, se doar em grandes expectativas. Se as decepções vierem, estamos preparados. Se surpresas agradáveis surgirem, nos deleitamos nelas.

Outra ferramenta é entender que ninguém nos faz infeliz, nos machuca, nos trai, se primeiramente não for infeliz, não estiver machucado, não se sentir traído na vida.

Jamais exigir o que os outros não têm para dar. Exigir de um filho ou aluno que reconheça seus erros e sejam sóbrios no exato momento em que erram é uma afronta. Exigir que nosso cônjuge, parceiro(a) ou namorado(a) seja coerente durante uma crise de ansiedade é um desrespeito. Cobrar dos funcionários lucidez e reflexão no exato momento em que tropeçam ou falham é uma injustiça. Nesses momentos, tais pessoas estão presas pelas janelas killers, bloquearam milhares de outras janelas, não têm, portanto, condições de pensar, analisar, refletir, enfim de pensar por múltiplos ângulos.

No primeiro momento, espere que a temperatura emocional de quem falhou abaixe, dê um momento para ele respirar, refletir. Espere uma hora, um dia, uma semana, o que for necessário. No segundo momento, seja gentil e o elogie. Encontre pontos nos quais ele possa ser valorizado, ainda que você tenha dificuldades de encontrá-los. Enfim, conquiste a sua emoção. Somente no terceiro momento aponte os erros, disseque as falhas.

Desse modo, os ânimos serão domesticados; as tensões, aplainadas e a educação, realizada. Não seremos invasores, mas contribuintes do crescimento dos outros. Quem primeiro quiser conquistar o território da razão para depois o da emoção, como sempre fizemos desde os primórdios da civilização humana, causará acidentes imprevisíveis.

Afinando a orquestra emocional

Steiner comentou que uma pessoa emocionalmente educada consegue lidar melhor com situações emocionais complicadas que, potencialmente, poderiam resultar em conflitos, fúria, mentiras, agressões e mágoas infligidas mutuamente.

Muitas vezes, nossas interações sociais se caracterizam pelo cinismo e freqüentemente tornam-se conflituosas e desgastantes. Em parte, isso ocorre porque todos estão buscando freneticamente aquilo que se definiu como sendo o sucesso. A idéia de sucesso na sociedade ocidental está muito relacionada com a idéia de poder, especialmente à capacidade de ganhos materiais, gerando um alto grau de competitividade, desenfreado e desleal (Steiner, 1997).

Apoiando e ampliando o conceito de Steiner, podemos dizer que um ser humano que não aprende a educar sua emoção poderá ser vítima e ao mesmo tempo causa de situações emocionais conflituosas e desgastantes. Nesse caso, errará seu mais importante alvo que é cuidar, irrigar e proteger sua emoção. Viverá na busca frenética pelo sucesso material, profissional e tudo que realça o poder social. Claro que esses sucessos são importantes, mas sem o sucesso emocional seremos infelizes.

Essa paranóia gera um alto grau de competitividade, que contrai o processo de interiorização, fazendo com que seja difícil entender a necessidade vital de decifrar os códigos da inteligência, transitar com suavidade e encanto nessa sociedade opaca interiormente, mas com muitas luzes de néon.

O homem atual precisa descobrir a grandeza, a fineza e a relevância de ser um gestor da sua psique. Aí mora seu grande sucesso. Lembro-me do meu amigo e músico João Carlos Martins, o pianista que mais brilhantemente interpretou Bach. João Carlos sofreu alguns graves acidentes e teve suas mãos mutiladas. O que fazer? Desistir da música? Muitos se deprimiriam e desistiriam. Mas ele não deixou de tocar piano, ainda que com alguns dedos. E passou a reger com impressionante sensibilidade.

O melhor de tudo é que transportou a música dos grandes teatros para as favelas e para resgatar jovens delinqüentes. Tornou-se um vendedor de sonhos. Seu segredo? Decifrou o Código da Resiliência, do carisma e do Eu como gestor da emoção. Afinou a orquestra psíquica para fazer da existência um espetáculo deslumbrante mesmo quando somos mutilados...

Possíveis conseqüências de quem decifra o Código do Eu como gestor da emoção:

1. Torna-se seguro de si, autoconfiante, autodeterminado.
2. Desenvolve auto-estima sólida e estabilidade emocional. Constrói um romantismo com a existência.
3. Desenvolve altruísmo e carisma. Torna-se uma pessoa envolvente, agradável, influenciadora.
4. Mente livre, emoção livre. Tem mais facilidade de libertar seu imaginário e ser criativo, produtivo, construtor de novas idéias.
5. Deixa de ser escravo do medo, da angústia, do tédio, das calúnias, das difamações, do que os outros falam de si. Vive a vida com mais aventura e deleite.

Possíveis conseqüências de quem não decifra esse Código:

1. Torna-se inseguro, emocionalmente frágil, desprotegido.
2. Vive freqüentemente estressado, ansioso, irritável, reativo, impulsivo.
3. Desenvolve uma emoção inábil, flutuante, instável, sem governabilidade.
4. Torna-se especialista em reclamar. Tem muitos atritos nas relações sociais. Não envolve e nem causa admiração social.
5. Tem visão pessimista e mórbida das relações sociais. Dificuldade de contemplar o belo, curtir a vida e se encantar com as pessoas.

Decifrando o Código do Eu como gestor da emoção: exercícios

1. Fazer a mesa redonda do Eu contra todas as emoções que nos controlam, anulam, fomentam conflitos.
2. Proteger a emoção com as seguintes ferramentas: a) Não exigir o que os outros não podem dar. b) Doar-se sem esperar

demasiadamente o retorno. c) Entender que por detrás de uma pessoa que fere há uma pessoa ferida.

3. Ser livre da ditadura da resposta. Não gravitar na órbita do que os outros pensam e falam de si. Ter órbita própria.
4. Desenvolver consciência de que o território emocional é um espaço particular e inviolável e não terra de ninguém. Não se deixar ser invadido sem permissão do Eu.
5. Redesenhar o estilo de vida para amenizar a SPA. Treinar ser pausado, dosado, caminhar passo a passo, fazer uma coisa de cada vez.

CONCLUSÃO

Capítulo 18

Os profissionais que decifraram os códigos: as diferenças entre bons e excelentes profissionais

A genialidade genética e a genialidade aprendida

É preferível ter uma memória mediana, mas que procura desenvolver a intuição criativa, libertar o imaginário, o altruísmo, a autocrítica, o gerenciamento da psique, do que ter um córtex cerebral privilegiado e não saber o que fazer com o estoque de dados arquivados.

A genialidade aprendida, como comentei, alicerça a maturidade, a serenidade, a generosidade, a capacidade de observação, a dedução e a indução. A genialidade genética só estoca dados. Há pessoas que são bibliotecas ambulantes, têm vários cursos universitários, mas não são criativas, não sabem proteger sua psique e nem trabalhar com sabedoria as intempéries da vida.

Quem não se fragiliza em situações que deveria ser forte? Quem não recua ou se fragiliza quando ferido? Quem não turva sua segurança diante da dor? Não há gigantes.

O senso comum diz que "os sofrimentos, os erros, as perdas, amadurecem espontaneamente as pessoas". Mas na prática clínica essa tese não é defensável. Não se engane! A maioria das pessoas piora seus níveis de tranqüilidade e serenidade à medida que sofre. O sofrimento só nos enriquece quando intuitiva ou racionalmente o trabalhamos.

O senso comum diz que "quem não aprende com amor, aprende com a dor". A dor ensina, mas não é uma excelente mestra. A dor só se torna uma mestra, quando nós nos tornamos seu mestre, quando nos interiorizamos, refletimos, desenvolvemos consciência crítica, deixamos de ser deuses e nos humanizamos. Caso contrário, a dor produz zonas de conflitos, uma plataforma de janelas killers, portanto será inútil, algoz, destruidora. Destrói a busca pela excelência em seus amplos aspectos.

A busca pela excelência da qualidade de vida

Ao longo de mais de 25 anos deparei-me com pessoas encantadoras no consultório, mas que, infelizmente, davam o pior de si para quem mais amavam. Em ambientes socialmente estranhos eram angelicais, mas, ao abrirem a porta de casa, abriam simultaneamente as janelas doentias da sua memória libertando os "fantasmas" da impaciência, da intolerância e da irritabilidade.

> **Há mais mistérios entre pensar e ser um pensador do que imagina nossa frágil e jovem psicologia.**
> **A. Cury, em**
> ***O vendedor de sonhos II — A missão***

Nem sempre os pais e professores libertam seu imaginário e procuram decifrar os códigos da inteligência para dar o melhor de si para seus filhos e alunos. Raramente um executivo faz uma profunda autocrítica para avaliar se sua secretária e seus auxiliares desfrutam o melhor da sua personalidade. Não se soltam, não relaxam, não motivam, não brincam, não encantam, embora tenham potencial para surpreender. Às vezes, damos o pior de nós, inclusive para nós mesmos. Não procuramos a excelência da qualidade de vida.

J.V. trabalhou arduamente para tornar-se um grande empresário. E conseguiu. Enriqueceu muito, mas não tinha mais tempo não apenas para seus familiares, mas para si mesmo. Abandonou-se em meio a um mar de compromissos.

Tinha casa na praia, mas raramente ia descansar. Tinha uma fazenda belíssima e gostava de criar gado, mas não tinha tempo para o que gostava. Tinha condições para viajar para qualquer lugar do mundo de primeira classe, mas não tinha tempo para esse luxo. Viajar só a trabalho.

Mas um dia interrompeu seu ritmo alucinante. Foi descansar em um leito de hospital com infarto agudo do miocárdio. Às portas da morte, descobriu que foi mesquinho consigo mesmo. Foi um rico miserável. Felizmente, teve uma segunda chance, a chance de fazer uma segunda jornada.

Muitos trabalham e trabalham sem parar. Quanto mais acumulam capital mais precisam trabalhar para manter o padrão e pagar os funcionários que têm. Nunca desfrutam do seu sucesso. Vivem uma eterna fadiga em uma existência brevíssima.

Se vivêssemos mil anos, valeria a pena gastar cem anos trabalhando como um louco, mas se vivemos oitenta anos em média, é loucura trabalhar sem parar. Planejar o prazer, os sonhos, os projetos, é fundamental. Mas desprezamos a busca pela excelência da qualidade de vida.

Os professores são cozinheiros do conhecimento que preparam o alimento do conhecimento para uma platéia, os alunos, que freqüentemente não têm apetite.
A. Cury, em
O código da inteligência

Procurar a excelência afetiva, intelectual, social, profissional, deveria ser a meta de todo ser humano. Procurá-la não é viver a paranóia de ser o número um. Não é desejar obsessivamente ser o melhor para ser o centro das atenções sociais. Mas dar o melhor que temos para irrigar a nós mesmos e a nossa empresa, escola, família. Quem não busca a excelência vive nas tramas do individualismo. Pensa muito mais em si mesmo do que nos outros.

Ao buscar a excelência nos outros, temos de entender que não há pessoas destituídas de inteligência, mas pessoas que não aprenderam a decifrar os códigos que libertam seu potencial intelectual. Não há pessoas mentalmente medíocres, mas mentalmente inertes, conformistas, paralisadas pelo medo de ousar. Procurar a excelência é treinar nosso intelecto para trazer à tona o ouro que se esconde no terreno acidentado das nossas dificuldades e limitações.

O DNA dos excelentes profissionais

Os códigos da inteligência podem ser aplicados para que um cientista, estudante, pai, mãe, filho, professor(a), amante, dê um salto qualitativo. Mas nesse último capítulo farei uma aplicação na busca pela excelência profissional. Os princípios aqui comentados podem ser aplicados em diversas áreas de nossa vida.

Um excelente profissional não é um líder, mas um líder que aprendeu; não é um gestor pronto, mas um gestor construído. O DNA de um excelente profissional é esculpido no terreno da educação, elaborado nos solos dos conflitos, forjado no calor dos desafios, esculpido no terreno das fragilidades.

No passado, ser bom profissional, não importa qual fosse a profissão, era suficiente para ter segurança, obter regalias, atingir metas. Hoje, as sociedades capitalistas passam por transformações tão rápidas e agressivas, que não basta ser bom, é necessário atingir a excelência, inclusive para ter saúde psíquica.

No passado uma grande empresa demorava duas ou três gerações para desaparecer, fechar, trocar de mãos ou falir. Hoje bastam alguns anos ou meses para ir à bancarrota. Bons profissionais são atropelados em um mercado altamente competitivo; só os excelentes sobrevivem.

Mas o que é ser um excelente profissional? Essa é uma grande tese! Quais as diferenças entre um bom profissional e um excelente? Essa é outra grande tese! Um excelente profissional decifra os códigos da inteligência e desenvolve pelo menos cinco marcantes hábitos multifocais.

Não é o que mais trabalha, é o que mais pensa. Não é o que é previsível, mas o que surpreende. Não é o que repete comportamentos, mas o que se reinventa. Não é o que engessa a mente, mas o que liberta a imaginação. As empresas e universidades são canteiros de excelentes profissionais? Em minha opinião, não. São exceções.

1º Hábito

Bons profissionais fazem tudo que lhe pedem, enquanto excelentes profissionais surpreendem, fazem além do que lhe solicitam.

Um bom profissional executa as tarefas que lhe são solicitadas, enquanto um excelente profissional decifra o Código da Intuição Criativa e faz muito mais do que lhe pedem. Um bom profissional é correto, ético, responsável, mas não se doa, não se entrega, não faz nada além do que está contratado para fazer. Um excelente profissional faz coisas que superam suas obrigações.

Um bom profissional vive em um cárcere da rotina, não tem flexibilidade, só consegue andar se tiver um mapa. Tem medo de falhar, ser criticado, ter novas atitudes. Um excelente profissional tem ginga, é ousado, criativo, inovador, perspicaz.

Um bom profissional respeita o programa, um excelente abre as janelas da sua mente e ultrapassa suas fronteiras. Um bom profissional descobre o óbvio, um excelente deixa fluir o raciocínio e descobre o novo. Um bom profissional prefere a segurança dos terrenos conhecidos, um excelente prefere a insegurança de terrenos inexplorados.

Um bom profissional pertence ao rol dos comuns, enquanto um excelente profissional pertence ao grupo dos estranhos no ninho, embora seja sociável. O que move um excelente profissional a ser diferente não é o desejo de estar acima dos seus colegas, mas seu código altruísta, seu desejo de servir e contribuir.

Se alguém pede para um excelente profissional procurar determinadas informações, ele procura conseguir dados além dos solicitados. Se lhe pede para remendar uma rachadura na parede, procura também reparar outras rachaduras não detectadas. Se alguém lhe solicita encontrar uma alternativa para um determinado problema, estuda o máximo de possibilidades. Se lhe pedem água, como decifrou o Código do Carisma, também oferece um café.

Um bom profissional executa o previsível, um excelente faz o imprevisível. Um bom profissional passa despercebido, um excelente, por mais simples que seja seu trabalho, jamais deixará de ser notado. Encanta, envolve, influencia.

Os princípios de um excelente profissional podem e devem ser trabalhados tanto no intelecto de um faxineiro de uma empresa como na mente do executivo que a dirige. Professores, alunos, médicos, terapeutas, dariam um salto profissional se os aplicassem. São universais.

2º Hábito

Bons profissionais corrigem erros, enquanto que excelentes profissionais os previnem.

Bons profissionais fazem o que podem para reparar um acidente, profissionais brilhantes fazem o que podem para evitar que eles ocorram. Os novos tempos exigem uma liderança especializada em prevenir crises e não em corrigi-las.

Bons profissionais apagam o fogo, enquanto os excelentes previnem o incêndio. Bons profissionais tratam os sintomas, enquanto profissionais excelentes previnem as doenças. Bons profissionais têm um raciocínio lógico-linear, excelentes têm um raciocínio esquemático e histórico-social.

Corrigir erros gera aplausos públicos, preveni-los nem sempre gera glamour social, mas produz um reconhecimento insubstituível e anônimo, o da própria consciência. Os médicos sanitaristas raramente são valorizados socialmente, mas e se não fossem as vacinas?

Um bom profissional desconhece a arte da dúvida, suas verdades são inquestionáveis, é um deus à procura de servos, enquanto um excelente profissional sabe que é um ser humano imperfeito vivendo em um ambiente imperfeito. É um líder que procura pensadores. Manipula a arte da dúvida com maestria e humildade. Pergunta continuamente:

"O que pode dar errado na frente?", "Que falhas cometi e não percebi?", "O que não estou enxergando?"

Tentar arrumar solução para uma empresa com graves dificuldades financeiras é um patamar, mas evitar que chegue nessa situação é um degrau mais elevado. Tentar vender produtos e serviços quando a empresa está em decadência é a atitude de bons executivos, mas libertar a intuição criativa para inovar, reciclar e se reinventar quando a empresa está no auge é uma atitude dos excelentes profissionais.

3º Hábito

Bons profissionais executam ordens, enquanto profissionais excelentes pensam pela empresa.

Bons profissionais desejam primeiro ser gestores de sua empresa, enquanto excelentes profissionais almejam ser primeiro gestores da sua mente. Sabem que ninguém pode ser um brilhante líder no teatro social, se não for primeiro um grande líder no teatro psíquico.

Bons profissionais obedecem a ordens, enquanto excelentes profissionais pensam pela empresa. Os que obedecem a ordens só enxergam a crise depois de instalada, mas os que pensam pela empresa percebem seus sinais sutis antes que ela surja.

Bons profissionais são gastadores compulsivos, enquanto excelentes são poupadores compulsivos, mas nunca deixam de investir em seus sonhos e lazer. Bons profissionais vivem o presente; excelentes, planejam o futuro.

Bons profissionais pensam que pensam, mas no fundo repetem as idéias, enquanto excelentes constroem-nas. Bons profissionais fazem propaganda das suas obras, enquanto excelentes profissionais esperam que os outros a reconheçam.

Bons profissionais são vítimas da SPA, vivem agitados, ansiosos, sofrem por antecipação, têm ataque de nervos na empresa, enquanto excelentes profissionais, ainda que tenham a SPA, redesenham seu estilo de vida, não descarregam em seus colegas a sua ansiedade, procuram decifrar o código da proteção da emoção.

Sabem que um líder doente formará liderados doentes, um líder ansioso criará um ambiente psicótico em sua empresa.

Flexibilidade, autocrítica, gestão psíquica, *feeling* para se antecipar aos problemas, são códigos fundamentais para quem quer atingir a excelência profissional. As crises começam a ser concebidas no auge do sucesso. A gestação dos fracassos inicia-se sob os aplausos do pódio.

4º Hábito

Bons profissionais são individualistas, enquanto excelentes trabalham em equipe, lutam pelo cérebro do time.

Bons profissionais vivem ilhados, enquanto profissionais excelentes vivem interagindo. Bons profissionais valorizam a força do indivíduo, profissionais brilhantes valorizam a força do grupo. Bons profissionais lutam pelo estrelismo, enquanto profissionais excelentes lutam pelo sucesso da equipe.

Profissionais excepcionais sabem que trabalhar em equipe é mais do que estar juntos, é cruzar mentes. Sabem que é mais do que se sentar na frente um do outro e emitir opiniões, mas deixar fluir o pensamento, construir uma mesa de idéias, traçar objetivos, definir focos.

Bons profissionais são ingênuos, desconhecem as armadilhas da sua mente e de seus colegas, enquanto que excelentes profissionais têm consciência de que todos os membros da equipe, inclusive ele, possuem fantasmas alojados no seu inconsciente: o fantasma do "ego", das "vaidades", dos "paradigmas rígidos", da "hipersensibilidade", do "ciúme", da "necessidade neurótica de prevalecer nossas idéias".

Sabe que até a timidez é uma forma sutil de disfarçar nosso orgulho, o orgulho de não ser exposto, de ser preservado, de não colocar em xeque nossas opiniões. Sabe ainda que por mais democrático que sejamos, todos nós temos um pequeno ditador em nosso inconsciente, até quando hasteamos a bandeira da humildade.

Por isso, são facilitadores do debate, exaltam a participação dos membros, valorizam as respostas que não são aproveitadas, estimulam a democracia das idéias, promovem o código do altruísmo, colocam combustível no código do altruísmo, aplainam o relevo das vaidades.

5º Hábito

Bons profissionais usam o poder do medo e das pressões, enquanto excelentes usam o poder do elogio.

Bons profissionais são aptos para cobrar, pressionar, punir, mas excelentes profissionais são aptos para encorajar, estimular e apostar no seu time. Sabem que quem pressiona e pune seus pares está apto para lidar com números, mas não com seres humanos. Não têm a necessidade neurótica de estar sempre certo ou de ser o centro das atenções.

Excelentes profissionais conhecem o funcionamento da mente, sabem que o que determina o impacto das suas palavras não é seu tom de voz, mas a imagem que construiu no inconsciente coletivo das pessoas. Se a imagem é excelente, pequenas palavras bastam; se a imagem for ruim, gritos não serão suficientes.

Sabem que o poder do elogio é muito mais eficiente do que o poder do medo e das pressões. Têm plena consciência de que tanto para corrigir seus liderados quanto para motivá-los, em primeiro lugar deve-se conquistar o território da emoção e depois o da razão. Vive esse pensamento: *quem não sabe elogiar não é digno de receber elogios.* Sabem que seus funcionários não são seus servos, mas seus parceiros. Encanta-os, dá uma ducha de carisma em todos os setores em que trabalha e atua.

Excelentes profissionais sabem que liderança e carisma não dependem da cultura lógica, acadêmica. Há pessoas cultíssimas, mas que são intragáveis, enquanto que há pessoas simples que são intensamente atraentes.

Muitos universitários estão se formando sem decifrar minimamente os códigos da inteligência. Saem hábeis para conviver com máquinas e animais, mas não com pessoas e nem com seus conflitos.

Só fazem o trivial, só realizam o esperado. Não surpreendem, não arrebatam, não encantam, não motivam. Não entendem que aprender a pensar e surpreender vale mais do que muitos diplomas.

Capítulo 19

Vendendo os sonhos dos códigos da inteligência em uma sociedade que deixou de sonhar

Uma história fascinante dentro de cada ser humano

Para finalizar este livro interpretarei, à luz dos códigos da inteligência, alguns fenômenos psíquicos e sociais de dois romances que escrevi e que mexeram com raízes do meu ser, pois revelam minha crítica ao sistema social e o meu pensamento para onde caminha a humanidade. Esses livros são *O futuro da humanidade* e *O vendedor de sonhos*.

O livro *O futuro da humanidade* inicia sua história em uma sala de anatomia onde os alunos de medicina estão perplexos em seu primeiro dia de aula diante dos corpos nus que dissecarão. Quem estava morto: os corpos a serem dissecados ou os alunos que os dissecariam? Em alguns aspectos, ambos.

Os cadáveres fecharam seus olhos para a vida e os alunos silenciaram sua capacidade de questionar os mistérios que norteiam a existência. Não questionavam a identidade e a história daqueles anônimos. Estavam igualmente mortos nesse aspecto.

Felizmente um aluno, Marco Pólo, ficou inquieto, perturbado, com o ambiente. O ilustre professor, chefe do departamento, estava dando uma aula brilhante sobre técnicas de dissecação de músculos, artérias e nervos. Sem conseguir se conter, Marco Pólo levantou uma das mãos para fazer uma pergunta. Mas o professor-doutor não gostava de ser interrompido durante a sua exposição. Insatisfeito, abriu uma exceção. Com arrogância, pediu para o aluno falar.

Marco Pólo fez uma pergunta fatal: "Qual o nome das pessoas que nós vamos dissecar?" O professor se incomodou com a questão. Respondeu mal-humorado, afirmando que as pessoas que estavam na sala de anatomia não tinham nomes.

Angustiado, o aluno novamente questionou: "Mas, professor, esses seres humanos não tiveram história, não sonharam, não amaram e nem choraram?" Irritado, o professor disse que eram mendigos achados por aí, psicóticos sem família, sem nada.

O aluno retrucou seu professor dizendo: "Como vou dissecar seus músculos, nervos e vasos sangüíneos sem conhecer os capítulos básicos do seu passado?" O professor rechaçou a petulância de Marco Pólo na frente dos colegas. Não decifrou o código do debate de idéias, não admitia alguém que pensasse diferente dele. Fazia parte de uma faculdade cujo programa objetivava formar médicos que repetem informações e não que pensam. Médicos que diagnosticavam doenças e não enxergavam o doente, que sabiam pedir exames, mas não sabiam libertar sua intuição criativa, seu *feeling*, *insight*.

Debochando dele, o professor disse rispidamente: "Olha aqui, garoto, se você quer ser um policial que investiga a vida das pessoas, escolheu a profissão errada!" Todos os colegas zombaram de Marco Pólo. Humilhado, ele começou a entender que quem pensa diferente tem de pagar um preço. Para sobreviver a essa e outras situações estressantes teria de aprender a decifrar o código da proteção da emoção. Esse seria seu grande desafio como estudante de medicina e futuro psiquiatra.

Além de debochar de Marco Pólo, o professor fez um desafio: "Se você duvida de mim, vá à sala central e veja se esses corpos têm história. E se achar alguma interessante, teremos prazer em ouvi-la."

Mais uma vez os colegas de Marco Pólo não se agüentaram. Riram do aluno que acreditava que por trás de um corpo de um miserável havia um mundo a ser descoberto. Para os alunos e professores de anatomia, os cadáveres eram apenas corpos, sem vida, sem identidade, sem passado.

Mortos vivos

Diminuído, saiu da sala de anatomia. Mas em vez de enfiar a cara no sentimento de vergonha e humilhação, Marco Pólo decifrou o Código do Eu como gestor do intelecto. Foi à luta. Aceitou o desafio. Usou seu caos como oportunidade criativa.

Mas a luta se mostrou árdua, difícil, espinhosa, perigosa. Não conseguia encontrar nenhuma informação sobre os homens e as mulheres que seriam dissecados. Depois de muita insistência, quase desistindo, encontrou na praça central um mendigo chamado Falcão, um doente mental fascinante e inteligentíssimo.

O mendigo já fora um brilhante professor de filosofia. Mas foi mutilado por uma psicose. Dos patamares mais altos da glória passou pelos vales mais profundos da rejeição, do desprezo, do escárnio e do vexame. Foi excluído pela sua universidade, pela família e pelos amigos. Saiu sem rumo, sem direção, sem bens, deixando para trás um passado despedaçado.

Tornou-se um mendigo. E como mendigo começou a decifrar o código da autocrítica, da capacidade de suportar crises, do altruísmo e da criatividade. O filósofo da universidade se tornou um filósofo das ruas, mais sábio, instigante, lúcido, provocativo e crítico social.

O maior desafio de Marco Pólo era conquistá-lo. Durante a construção da inusitada amizade, o mendigo encantou o estudante e revelou-lhe um mundo fascinante. Tornaram-se uma dupla de arruaceiros.

Tempos depois, chegou o grande dia. Falcão foi levado inesperadamente à sala de anatomia. Todos ficaram chocados com a presença do moribundo, que cheirava mal e cujas vestes eram rotas e rasgadas. O professor preparou-se para expulsar o aluno e o intruso. Mas, subitamente, um espetáculo de humanismo e inteligência iniciou.

O mendigo começou a revelar a identidade dos cadáveres. Todos ficaram perplexos. Tinham histórias riquíssimas capazes de nos levar às lágrimas. De repente, o mendigo revelou a identidade do último dos corpos. O professor ficou rubro, embargou sua voz, ficou ofegante e, sem que ninguém entendesse, caiu em prantos. O ultimo cadáver era alguém muito íntimo e querido dele, mas que há anos não via.

Atônito, percebeu o erro gravíssimo que cometeu. Era um professor respeitadíssimo, formado na universidade de Harvard, sabia dissecar corpos, mas não sabia penetrar nas entranhas da alma humana, nem na sua nem na de seus amigos e filhos. Não estava qualificado para formar pensadores. Precisava sair do pensamento linear e enxergar a existência sob múltiplos ângulos. Precisava voltar a ser um pequeno aluno para aprender a decifrar os códigos da inteligência.

Citei alguns poucos fenômenos de *O futuro da humanidade* para mostrar que os corpos da sala de anatomia são figuras do ser humano moderno. Assim como aqueles corpos anônimos pareciam não ter histórias, cada vez mais nossa história é diminuída, asfixiada, negada. Tornamo-nos mais um número na multidão, mais um número de cartão de crédito.

Em uma sociedade superficial, apenas algumas celebridades parecem ter histórias dignas de interesse. Na realidade, todos nós temos uma história complexa, saturada de recuos e avanços, de aventuras e perdas. Mas quem se importa com ela? Quem se encanta ou se importa com o filme existencial dos anônimos? Não somos mortos vivos. Não podemos concordar em ser apenas um consumidor no mercado, perder as matrizes de nossa identidade.

O futuro da humanidade não será deslumbrante se não tomarmos o roteiro de nossa história em nossas mãos e aprendermos a ser atores e atrizes principais. Seremos dirigidos pelos outros e controlados pelas circunstâncias.

Agente das próprias perdas

No livro *O vendedor de sonhos,* um doutor em sociologia está no topo de um edifício, no ápice do desespero, tentando se matar. Era arrogante, agressivo, ególatra, individualista. Era um sujeito insuportável, até aos seus próprios olhos. Sofreu uma seqüência de perdas causadas por ele mesmo. Perdeu o filho, esposa, prestígio, influência, poder político, dinheiro, sentido de vida, disposição existencial.

Não decifrou o Código da Resiliência. As perdas fizeram com que piorasse e não o transformaram em uma pessoa mais flexível, ponderada, serena; ao contrário, ficou intragável. Como não era generoso com os outros, quando se deprimiu foi implacável consigo mesmo. Sentenciou-se à morte.

Os policiais e bombeiros não conseguiam resgatá-lo do alto do edifício. Ao se aproximarem, ele ameaçava se atirar. Um famoso psiquiatra também foi chamado para a desafiadora tarefa. Usou técnicas, e nada. Deu conselhos, e não funcionou. O homem estava decidido a morrer.

No sopé do edifício, uma multidão desesperada esperava o desfecho dramático da cena. Então, surgiu um homem misterioso, que ninguém sabia sua origem, sua história acadêmica, seu nome, sua família. Era um anônimo como os corpos na sala de anatomia da obra anterior.

O forasteiro venceu todos os cercos, subiu no topo do edifício. Lá, enfrentou a guerra do preconceito. Vendo seu paletó desarrumado, seu cabelo desgrenhado, o chefe de polícia e o psiquiatra o barraram.

Mas ele disse que o chamaram. Em um piscar de olhos, um encarou o outro e se indagaram quem chamou quem. Nesse ínterim, o "vendedor de sonhos" rapidamente penetrou na zona de perigo onde estava o suicida. Apreensivos, não conseguiram retirá-lo de cena.

O suicida, ao vê-lo, gritou: "Eu vou me matar!" A multidão, ao ver sua reação, teve calafrios. Entretanto, em vez de se importar com o drama do suicida, o enigmático homem sentou-se no parapeito do edifício a três metros de distância do infeliz. Subitamente, desembrulhou um sanduíche e começou a comê-lo prazerosamente. O suicida ficou atônito. Sentiu-se afrontado.

Perturbado, gritou novamente para o forasteiro que ia se matar e se preparou para se precipitar. Nesse momento, o misterioso homem soltou um torpedo emocional inesperado.

Olhou firmemente para o suicida e disse-lhe sem pestanejar: "Você quer fazer o favor de não atrapalhar meu jantar!" O suicida levou um choque, quase caiu do edifício, mas de assombro. Subitamente pensou consigo: "Encontrei alguém mais maluco do que eu!"

Usando os códigos da inteligência para interpretar a cena, podemos entender que o maltrapilho conquistou primeiro a emoção, depois a razão do suicida. Retirou-o da masmorra da janela killer, abriu o leque do seu pensamento não com teorias, nem com conselhos vazios, mas com reações surpreendentes. A emoção não é conquistada com o trivial, mas com o inesperado.

Assim termina o primeiro capítulo e começa a trama desse romance. Com sua provocante inteligência, o enigmático homem, cada vez que abria a sua boca, abalava o arrogante intelectual.

Comprando o sonho de uma "vírgula"

O vendedor de sonhos penetrou no cerne do seu egocentrismo e o bombardeou com a arte da dúvida: o que é a existência? O que é a morte? O que é o teatro do tempo? A morte é o fim desse teatro ou o começo de uma peça inextinguível? Quando queremos morrer, temos consciência da morte ou todo pensamento sobre a morte não deixa de ser uma homenagem à vida?

O suicida, que sempre foi um deus e quando pensou em se matar continuava sendo um deus controlado por verdades absolutas e por um pensamento linear, foi desmoronando pouco a pouco.

Morin assinala que o confronto com um mundo de indivíduos auto-realizáveis para uma "sociedade de indivíduos" passa por uma reflexão profunda do sofrimento humano e das diferenças impostas a uma multidão de desvalidos (Morin, 1997). Há uma multidão de desvalidos que não têm acesso a bens de consumo, quase não têm perspectivas de ascensão social e possuem subempregos. Mas, para o protagonista do livro *O vendedor de sonhos*, há uma multidão de desvalidos muito maior, que atinge todas as classes sociais.

Para esse personagem, os habitantes das cidades modernas tinham casas, casebres, apartamentos, mansões, mas não encontraram o maior de todos os endereços: o endereço dentro de si mesmo. Eram forasteiros em seu próprio ser.

O suicida, um notável intelectual da sociologia que conhecia a biografia de muitos personagens da história, nunca penetrou em camadas mais profundas do seu psiquismo. Era um estranho para si mesmo. Não conhecia áreas mais secretas da sua própria biografia.

Sem que percebesse, o vendedor de sonhos começou a vender-lhe um dos seus grandes sonhos: uma vírgula. Uma vírgula? Sim, uma vírgula para que ele continuasse a escrever a sua história, apesar das suas perdas, falhas, traições, frustrações, angústias, sentimentos de culpa e raiva.

Todos nós precisamos comprar vírgulas no traçado de nossa existência. *A vida é um grande e complexo texto, que precisa de muitas vírgulas para ser escrito, ainda que essas vírgulas assumam em alguns momentos o formato de lágrimas.*

Depois de resgatar o suicida, o vendedor de sonhos sai pela grande cidade proclamando aos quatro ventos que a humanidade se converteu em um grande hospital psiquiátrico. O normal era ser tenso, ansioso, inquieto, hiperpensante, emocionalmente flutuante, ter baixo nível de satisfação, ter a sensação de estar por um fio, ter sintomas psicossomáticos, enterrar os sonhos. O anormal era ser tranqüilo, relaxado, sereno, se humanizar, resgatar seus projetos pessoais, conversar com as flores.

Esse é um retrato cru, em minha opinião, das sociedades modernas. O normal virou anormal. A regra virou exceção. Adoecemos coletivamente na era dos celulares e dos computadores, em meio a fantásticos saltos tecnológicos.

Após denunciar o manicômio global, o misterioso personagem começou a causar tumultos e confusões. Por onde passava, chamava pessoas admiráveis que viviam à margem da sociedade, como alcoólatras, doentes mentais, modelos com bulimia, para vender sonhos em uma sociedade ansiosa para consumir produtos e serviços, e não reflexão, idéias e conhecimento. Seria ele o mais psicótico dos seres ou um sábio incompreendido? Um impostor ou pensador muito além de seu tempo? Era certamente um estranho no ninho social. Ora muitíssimo amado, ora odiado. Em alguns momentos aplaudido, em outros vaiado. Mas nada inibia seu projeto.

O meu grande sonho

Jamais imaginei que ao escrever o primeiro volume de *O vendedor de sonhos*, um livro tão crítico do sistema social, ele se tornasse o romance mais lido do país no período em que escrevo estes textos. Não escrevo em função do sucesso, mas pela paixão pelas idéias, pela paixão pela vida. Meus livros gritam para mostrar que precisamos aprender a ser protagonistas de nossa história psíquica, dentro do que é possível ser.

Ficaria felicíssimo se não vendesse nenhum exemplar nos mais de cinqüenta países em que sou publicado, mas as crianças, adolescentes e adultos aprendessem sistematicamente no pequeno cosmo da sala de casa, da sala de aula e das empresas, o Código do Eu como gestor psíquico, da autocrítica, da resiliência, do debate, do altruísmo, do carisma, da intuição criativa.

Milhares ou talvez milhões de pessoas poderiam expandir os horizontes da inteligência, lapidar suas habilidades, prevenir depressão, anorexia nervosa, síndrome do pânico e uma série de outros transtornos. Poderíamos também resolver com mais eficiência os conflitos sociais.

Teríamos mais chances de formar mentes brilhantes, os pensadores que irão construir a sociedade do futuro, uma sociedade onde brancos e negros, palestinos e judeus, ocidentais e orientais lutariam ansiosamente pela família humana e menos pelos seus feudos. Uma sociedade onde o ser humano libertaria as múltiplas formas de raciocínio e se tornariam agentes de um novo tempo. Utopia? Sonho? Talvez. Mas sem sonhos nossas emoções não têm orvalhos e nossos intelectos não têm sementes: são estéreis

Seríamos uma humanidade com mais chances de transportar as palavras felicidade, tolerância, afetividade, sabedoria, tranqüilidade, saúde psíquica e justiça social das páginas dos dicionários para as páginas de nossa personalidade. Teríamos menos necessidade de psiquiatras, psicólogos clínicos, socioterapeutas, juízes, promotores, soldados, prisões, exércitos, armas. Teríamos mais educadores, jardineiros, poetas, filósofos, escultores, pintores e pensadores. Nossos sorrisos seriam menos formais e mais sinceros. Seríamos uma sociedade mais lírica e bem-humorada, teríamos mais abraços e menos exclusões.

Uma sociedade que não estimula a interiorização, que ama os holofotes da mídia, que valoriza somente quem atinge o pódio, que louva excessivamente quem é premiado, pode ser saudável? Não, pois apenas uma pequeníssima minoria atinge esses patamares! Essa sociedade bloqueia a capacidade de decifrar e aplicar os códigos da inteligência, as ferramentas mais nobres da psique. Precisamos animar e aplaudir a coragem de disputar daqueles que nunca foram premiados. E ensinar a nós mesmos e a eles que a vida é o grande prêmio.

Diante desse insondável prêmio, sonho que possamos superar as armadilhas da mente e explorar o infinito mundo psíquico e conhecer cada vez mais a nós mesmos, esse ser complexo e belíssimo e, ao mesmo tempo, imperfeito e complicado.

E acima de tudo, nesse brevíssimo teatro da existência, onde em um instante somos jovens e noutro idosos, sonho que possamos ser "vendedores de sonhos" em uma sociedade consumista que deixou de sonhar e pensar criticamente...

Fim

REFERÊNCIAS BIBLIOGRÁFICAS

Adler, A. *A ciência e da natureza humana*. São Paulo: Cia. Editora Nacional, 1939.

Adorno, T. *Educação e emancipação*. Rio de Janeiro: Paz e Terra. 1971.

Costa, N.C.A. *Ensaios sobre os fundamentos da lógica*. São Paulo: Edusp, 1975.

Chauí, M. *Convite à filosofia*. São Paulo: Editora Ática, 2000.

Cury, A. *Inteligência multifocal*. São Paulo: Cultrix, 1999.

Cury, A. *O mestre dos mestres*. São Paulo: Academia de Inteligência, 2000.

Cury, A. *Pais brilhantes, professores fascinantes*. Rio de Janeiro: Sextante, 2003.

Cury, A. *12 Semanas para mudar uma vida*. São Paulo: Academia de Inteligência, 2004.

Freire, P. *Pedagogia dos sonhos possíveis*. São Paulo: Unesp, 2005.

Duarte, A. *A dimensão política da filosofia kantiana segundo Hannah Arendt*, In: Arendt, H. Lições sobre a filosofia política de Kant, Rio de Janeiro: Relume Dumará, 1993.

Descartes, R. *O discurso do método*. Brasília: Editora da Universidade de Brasília, Brasília, 1981.

Feuerstein, R. *Instrumental Enrichement* — An Intervention Program for Cognitive Modificability. Baltimore: University Park Press, 1980.

Foucault, M. *A doença e a existência*. Rio de Janeiro: Folha Carioca, 1998.

Freud, S. *Obras completas*. Madrid: Editorial Biblioteca Nueva, 1972.

Frankl, V.E. *A questão do sentido em psicoterapia*. Campinas: Papirus, 1990.

Fromm, E. *Análise do homem*. Rio de Janeiro: Zahar, 1960.

Gardner, H. *Inteligências múltiplas: a teoria e a prática*. Porto Alegre: Artes Médicas, 1994.

Goleman, D. *Inteligência emocional*. Rio de Janeiro: Objetiva, 1995.

Hall, L. *Teorias da personalidade*. São Paulo: EPU, 1973.

Heidegger, M. *Conferências e escritos filosóficos*. Coleção "Os Pensadores". São Paulo: Abril Cultural, 1989.

Husserl, L.E. *La Filosofía como Ciencia Estricta*. Buenos Aires: Editorial Nova, 1980.

Jung, C.G. *O desenvolvimento da personalidade*. Petrópolis: Vozes, 1961.

Kaplan, H.I., Sadock B.J., Grebb J.A. *Compêndio de psiquiatria: ciência do comportamento e psiquiatria clínica*. Porto Alegre: Artes Médicas, 1997.

Kierkegaard, S.A. Diário de um sedutor e outras obras. Coleção "Os Pensadores". São Paulo: Abril Cultural, 1989.

Lipman, M. O pensar na educação. Petrópolis: Vozes, 1995.

Masten, A.S. *Ordinary Magic: Resilience Processes in Development*. American Psychologist, 56(3), 2001.

Masten, A.S. & Garmezy, N. *Risk, Vulnerability and Protective Factors in Developmental Psychopathology*. In: Lahey. B. B.& Kazdin, A. E. *Advances in clinical child psychology 8*. New York: Plenum Press, 1985.

Muchail S.T. *Heidegger e os Pré-Socráticos*. In: Centro de Estudos Fenomenológicos de São Paulo — *Temas fundamentais de fenomenologia*, São Paulo: Moraes, 1984.

Morin, E. *O homem e a morte*. Rio de Janeiro: Imago, 1997.

Morin, E. *Os sete saberes necessários à educação do futuro*. (Relatório feito a pedido da UNESCO). São Paulo: Cortez/Unesco, 2000.

Nachmanovitch, S. *Ser criativo — o poder da improvisação na vida e na arte*, Summus, São Paulo, 1993.

Piaget, J. *Biologia e conhecimento*. 2ª ed. Petrópolis: Vozes, 1996.

Pinker, S. *Como Funciona la Mente*, Buenos Aires: Planeta, 2001.

Sartre, J.P. *O ser e o nada — ensaio de ontologia fenomenológica*. Petrópolis: Vozes, 1997.

Steiner, C.. *Educação emocional.* 2ª edição. Rio de Janeiro: Objetiva, 1997.

Sternberg, R.J. *Mas Allá del Cociente Intelectual.* Bilbao: Editorial Desclee de Brouwer, S. A, 1990.

Steiner, C. *Educação emocional.* Rio de Janeiro: Objetiva, 1997.

Yunes, M.A.M. *A questão triplamente controvertida da resiliência em famílias de baixa renda.* Tese de Doutorado, Pontifícia Universidade Católica de São Paulo, São Paulo, 2001.

Yunes, M.A.M. & Szymanski, H. *Resiliência: noção, conceitos afins e considerações críticas.* In: Tavares J. (Org.) *Resiliência e educação.* São Paulo: Cortez, 2001.

Este livro foi composto em Bembo 12/16 e impresso pela Gráfica Ediouro sobre papel Pólen soft 70g em outubro de 2008.